Gesucht & gefunden ...

Beziehungs-Impulse, Tipps für Singles und Partnerfindungs-Berichte von über 40 Paaren!

Walter Nitsche (Hrsg.)

Gesucht & gefunden ...

Beziehungs-Impulse,
Tipps für Singles und
Partnerfindungs-Berichte
von über 40 Paaren!

edition φ philemon

ISBN-Nr. 3-325368-09-7
Buch-Nr. 648 309
Eine Coproduktion von edition φ philemon und dem
Christlichen Partnerschafts-Dienst – cpd

Redaktion: Judith Berger, Hittnau
Umschlag: DC-Agentur, Merenberg
Herstellung: media-aktuell, Birkenfeld

Inhalt

Vorwort

Ein bunter Strauß voller Single-Tipps, wertvoller Impulse zu Partnerschaftsfragen und Berichten von 42 Ehepaaren, die ihre spannenden Erlebnisse rund ums Kennenlernen schildern. Erstaunlich, wie unterschiedlich, einzigartig und individuell sie diese Zeit erlebt haben.
Sie erzählen, was ihnen wichtig geworden ist und geben persönliche Tipps für Singles, „werdende Paare“ und Ehepaare.

Diesen Strauß haben wir für Sie gebunden, weil es etwas zu feiern gibt. Der christliche Partnerschafts-Dienst (kurz „cpd“) blickt bei seinem 25 jährigen Jubiläum staunend und voller Dankbarkeit darauf zurück, wie Gott im letzten Viertel Jahrhundert gelenkt, gesegnet und den cpd dazu gebraucht hat, um Hunderte von christlichen Ehen zu stiften.
Beispielhaft berichten in diesem Buch viele „cpd-Paare“ nicht nur von den Anfängen ihrer Beziehung, sondern auch, wie sie jetzt, nach vielen Jahren, ihre Ehe erleben und ihre Familie gestalten.

Der Anfang jedes Kapitels wird vom längjährigen Ehe- und Beziehungsberater Walter Nitsche durch wertvolle Gedanken zur Persönlichkeitsreifung, Partnersuche und Beziehungsförderung eingeleitet.
Sie erfahren außerdem, was die Gründer des cpd dazu bewog, solch einen Dienst für Christen zu gründen, welche Schwerpunkte und Ziele sie sich gesetzt haben.

Egal ob allein stehend oder verheiratet, diese Impulse sind ein Schatz für jedermann.
Lassen Sie sich durch dieses Buch inspirieren und motivieren, ihren eigenen, einzigartigen Weg mit Gott zu gehen.
Dieser Strauß voller Beziehungs-Impulse soll für Sie zur großen Bereicherung werden.

Judith Berger

Danksagung

Dieses Buch wurde von zahlreichen Autorinnen und Autoren geschrieben!
Menschen, die sich nicht scheuten, ihr ganz persönliches Erleben mit der Leserschaft zu teilen.
Mitarbeiterinnen und Mitarbeiter, die mit großem Engagement die Puzzle-Teile zusammenfügten.

Herzlichen Dank allen Paaren, die ihren Bericht zur Veröffentlichung freigegeben haben und für alle, die mit ihren Single-Tipps die Leser ermutigen und motivieren.

Meiner Frau Iris danke ich für die konstruktive Mitarbeit in allen Phasen der Buch-Entstehung und fürs gründliche Redigieren.

Meiner Tochter Judith danke ich für das Zusammenstellen des Buches und die umfangreiche Redaktion.

Meiner Assistentin Victoria Becht danke ich für das Zusammentragen der Berichte und die Betreuung der Verfasser.

Meinen Hauskreis-Freunden Stef Engelhardt, Esther Lang und Esther Meißner danke ich für das Brainstorming.

Auch danke ich meinen Freunden Ulrike Tomasek, Alexander Sommerfeld sowie Rene Adam für ihre konstruktive Unterstützung, u.a. in der Text- und Umschlaggestaltung und Lenka Mráziková für die Begleitung bei der Drucklegung.

Unserer Mitarbeiterin Gudrun Augenstein danke ich fürs Korrekturlesen.

Christine Beitat von Gerth-Medien danke ich für die wertvollen Impulse.

Unserem Administrator Sebastian Lindauer danke ich für die praktische Unterstützung bei den technischen Arbeiten und Datenübermittlungen.

Nicht zuletzt spreche ich meinen herzlichen Dank dem gesamten cpd-Team für die treue, engagierte und kompetente Arbeit aus, die zu all diesen „Erfolgsberichten" geführt hat, vor allem jedoch unserem himmlischen Vater, der mit seiner unfassbaren Liebe alles lenkte, leitete und segnete.

Herbst 2010 *Walter Nitsche, Herausgeber*

Kapitel 1

Die Not alleinstehender Christen

“Ach Herr, was möchtest du? Was sollen wir tun?“ So beteten wir in den 80er Jahren, als wir noch in der Schweiz lebten. Durch unsere seelsorgliche Arbeit bemerkten wir, mit welchen Nöten und Problemen alleinstehende Christen bis heute konfrontiert sind.

Bei vielen besteht der sehnliche Wunsch nach einem Partner, mit dem man das Leben, den Glauben, den Alltag teilen kann. Andere sind in Kirchen oder Gemeinden sehr engagiert und schauen sich dort nach einem geeigneten Ehepartner um, doch längst nicht jede Organisation hat für jeden Single einen Partner, der ihm entspricht. Und so taucht bei den Singles die Frage nach dem „Was nun?“ auf.

„Vielleicht solltest du auf Freizeiten oder Reisen gehen“ wird geraten. Das ist natürlich eine Möglichkeit, doch sie kommt nicht jedem entgegen.

So schrieb uns beispielsweise ein 35-jähriger Rechtsanwalt: „Ich bin in der Gemeindearbeit und beruflich stark engagiert und es ist mir viel zu oberflächlich und auch zu uneffektiv, auf Freizeiten nach meiner künftigen Ehefrau Ausschau zu halten.“

So gesegnet christliche Freizeiten auch sein können, die Gefahr, sich von einem Gegenüber hauptsächlich durch das äußere Erscheinungsbild angesprochen zu fühlen, wird immer vorhanden sein.

Manche Singles müssen sich mit der Zeit auch Aussagen anhören wie: „Vielleicht hat Gott dich zur Ehelosigkeit bestimmt“ oder „Lass dir an Gottes Gnade genügen, er kann all deine Sehnsüchte stillen.“

Natürlich gibt es Menschen, die lieber ohne Partner leben, um noch intensiver für Gott leben zu können. Auch dass Gott unsere tiefsten Sehnsüchte stillt, möchten wir nicht abstreiten. Und doch hat unser Schöpfer in 1. Mose 2,18 festgestellt: „Es ist nicht gut, dass der Mensch allein sei.“
Gott schuf den Menschen, um ihn an liebevollen Beziehungen teilhaben zu lassen: zu Gott und zu anderen Menschen. Gott selbst ist die Quelle der Liebe, und eine enge Beziehung zwischen jedem einzelnen Mensch und ihm ist sein sehnlichster Wunsch. Sie ist die Grundlage, der Boden für ein erfülltes Leben und eine erfüllte Ehe, worauf wir später noch eingehen.

Gott selbst hat aber auch den Wunsch nach einem Gegenüber in uns hinein gelegt. Er möchte, dass wir zu dieser Beziehung finden.
Wenn im eigenen Umfeld der richtige Partner nicht gefunden wird, bedeutet das noch lange nicht, dass Gott einen Menschen zur Ehelosigkeit „verdonnert“.

Wir erlebten in der Seelsorge leider immer wieder, dass sich ein Teil der alleinstehenden Christen in dieser Not und Einsamkeit auf folgenschwere Kompromisse einließ. Andere quälten sich mit zerstörerischen Versuchen, dem tiefen Sehnsucht-Schmerz zu entkommen. Wieder andere fragten sich, ob Gott wirklich verordnet hat, untätig herum zu sitzen, bis er einem den richtigen Partner in den Schoß fallen lässt.

Es wurde klar, dass, rein statistisch gesehen, ein großer Pool von alleinstehenden Christen viel effektiver ist, als das mögliche Kennenlernen bei begrenzten Veranstaltungen. Es folgte eine Zeit des Prüfens und Erforschens, getragen von Gebet, bis wir uns 1985 entschlossen, den Christlichen Partnerschafts-Dienst (cpd) zu gründen.

Für uns ein mutiger Schritt auf einem neuen Weg, doch in den letzten 25 Jahren hat sich gezeigt, dass Gott diesen Weg immer wieder bestätigt und reich gesegnet hat. Wir sind ihm so dankbar dafür!

Ein „märchenhaftes“ Wunder Gottes

Es war einmal... eine einsame Frau und ein ebenfalls einsamer und unglücklicher Mann. Sie, Susanne, seit 19 Jahren geschieden, wünschte sich schon lange einen lieben Mann. Gelegenheiten gab es viele, aber es sollte unbedingt ein gläubiger Mann sein. So blieb sie lieber alleine. Doch sie war oft sehr traurig. Hatte Gott sie vergessen?

Er, Matthias, seit 6 Jahren alleinerziehender Vater zweier Kinder, seit 3 Jahren geschieden, wünschte sich wieder eine liebe Frau, der er ganz vertrauen und die er lieben konnte und die auch unbedingt gläubig sein sollte. Bei beiden war bei manchen Gelegenheiten der/die Richtige nicht dabei.

Sie meldeten sich eines Tages, unabhängig voneinander, beim cpd an.

Susanne war sehr skeptisch, ob sich gerade hier der Richtige finden würde.

Matthias war von Beginn an zuversichtlich, hier die richtige Partnerin finden zu können, weil er wusste, dass der cpd viele Teilnehmer hat.

Neben anfänglich verschiedenen anderen bekamen sie schließlich im Dezember 1999 ihre gegenseitigen Vorschläge.

Jetzt beginnt unsere gemeinsame Geschichte. Nach etlichen Briefen und Telefonanrufen entdeckten wir, dass uns sowohl in geistlicher als auch in persönlicher Hinsicht viele gleiche

Einstellungen verbanden. Auch solche, die der cpd nicht wissen konnte. Wir trafen uns ein paar Mal, waren uns sehr sympathisch, erkannten jedoch ein Problem, das nicht zu lösen war: Matthias war in der Schweiz ortsgebunden und Susanne in Deutschland, da ihre Mutter ihre Unterstützung brauchte. Susanne hatte nicht die innere Freiheit, ihre Mutter alleine zu lassen.

Wir sahen ein, dass eine Beziehung nicht möglich sein würde. Also baten wir den cpd um neue Vorschläge. Doch später änderte sich alles, da Susannes Mutter unerwartet verstarb. Diese Tatsache bedeutete für Susanne, dass sie die neue Situation erst einmal verarbeiten musste. Also zog sie sich in die Stille vor Gott zurück.

Gott zeigte ihr in diesen Tagen ihren Weg sehr klar, und dass Matthias ihr Gottesgeschenk sein sollte, was auch sein Name bedeutet. Sie rief Matthias erneut an. Er hatte inzwischen verschiedene andere Vorschläge erhalten, erklärte ihr jedoch, dass Gott ihm zu keinem der neuen Vorschläge ein inneres "Ja" gegeben hatte, sondern nach wie vor nur zu ihr. So beschlossen wir, dass Susanne zu einem Treffen in die Schweiz kommen sollte. Dieses Treffen führte dann zum eigentlichen Beginn unserer Freundschaft. Am 22.11.00 verlobten wir uns und sind sehr, sehr glücklich!

Wir staunen immer mehr darüber, wie viel uns verbindet, wie gut wir zusammenpassen, und über die Wege und das Führen Gottes. Das ganze ist kein Märchen, wie es am Anfang schien, sondern ein Wunder Gottes.

Aktuell schreiben Susanne und Matthias Röthlisberger:

Wir sind nach über 8 Jahren Ehe immer noch sehr glücklich miteinander, auch wenn wir durch Tiefen wie Arbeitslosigkeit und Krankheit gehen mussten.

Auch in den Tiefen hielten und halten wir daran fest, dass Gott uns zusammengeführt hat und durch die Krisen hindurch trägt. Besonders wichtig scheint uns, in jeder Situation miteinander im Gespräch zu bleiben.

Wir empfinden es als extrem wertvoll und hilfreich, dass wir jeden Tag miteinander beten und alle Sorgen und Freuden vor Gott bringen können.

Jeden Tag sagen wir uns gegenseitig, dass wir uns sehr lieb haben."

Matthias und Susanne Röthlisberger
(kaufm. Angestellter und Physiotherapeutin)
aus 4614 Hägendorf /Schweiz

Es ist ein Geschenk unseres Gottes, dass wir auch im Alter noch immer Neues erleben dürfen

Unser Leben ist im Allgemeinen auf Zweisamkeiten abgestimmt. Gottes Wort sagt uns: Es ist nicht gut, dass der Mensch alleine sei (1. Mose 2,18).

Aufgrund eines Kontaktvorschlags durch den cpd lernten wir uns kennen. Die Verbindung miteinander begann im Dez. 94 und führte im August 1995 zur Eheschließung.

Zwei verschiedene Menschen lernten sich kennen, schätzen, lieben und vertrauen.

Nun sind wir schon rund **15 Jahre verheiratet**, und es ist ein Geschenk unseres Herrn, dass wir auch im Alter noch immer Neues erleben dürfen. Es ist nicht jeder Tag Sonnenschein, aber wir wissen, dass wir füreinander da sind.

So sind wir dankbar für die gemeinsame Zeit, und dass wir das Heute auch noch mit gestalten können.

Helmut und Gerda Böllerschen aus 47475 Kamp-Lintfort

Alleinerziehende mit acht Kindern und eine Hochzeit in Neuseeland

Ernst und ich schätzten unsere Chancen, einen neuen Ehepartner zu finden, als äußerst gering ein. Wer nimmt schon eine Witwe mit vier Kindern, so fragte ich mich.

Er dagegen konnte sich kaum vorstellen, dass eine Frau mit Kindern bereit sein könnte, alles zu verlassen, um einen Mann mit ebenfalls vier Kindern am anderen Ende der Welt zu heiraten.

Und doch dauerte es nur wenige Wochen, bis unsere Adressen ausgetauscht wurden und wir miteinander Kontakt aufnehmen konnten.

Wenn wir auf die vergangenen Monate zurückschauen, können wir es fast nicht glauben, was der Herr an und für uns getan hat. Vier Halbweisen haben wieder einen Vater bekommen, der sie nicht nur duldet, sondern seine Phantasie und Kraft in sie investiert, als wären es seine eigenen Kinder.

Zehn Menschen dürfen jetzt zusammenleben und einander lieben, von denen noch vor einem halben Jahr einer nichts von dem anderen wusste.

Das Werkzeug für sein Tun ist der CPD gewesen. Mit seiner Hilfe hat Gott zwei Menschen zusammengeführt, die jeweils am anderen Ende der Erde lebten und doch so gut zueinander passen wie zwei Puzzleteile.

Bei allen Problemen, die bei einer Familie mit acht Kindern nicht ausbleiben, sind wir überaus froh, dass wir einander gefunden haben, und es ist unsere Hoffnung, dass durch dieses Beispiel viele einsame Menschen ermutigt werden, Gott zu vertrauen.

Nach 13 Jahren berichtet dieses Ehepaar (Renate und Ernst Frei):

Viel ist geschehen, seit wir vor 13 Jahren geheiratet haben. Rückblickend wissen wir kaum noch, wie wir alles geschafft haben. Immer wieder konnten wir aber Gottes Hilfe und Beistand erfahren.

Inzwischen haben sieben unserer acht Kinder das Nest verlassen. Vier sind verheiratet, und der Fünfte heiratet im Januar. Wir sind Großeltern von Zwillingen, die am ersten Dezember ihren ersten Geburtstag gefeiert haben, und ein weiteres Enkelkind ist unterwegs. Wir sind unendlich dankbar für die Entwicklung unserer Kinder und freuen uns jetzt auf unser Leben zu Zweit.

Tipps, die wir weitergeben könnten, sind Folgende:

- Für eine Patchworkfamilie haben wir es als äußerst wichtig empfunden, viel gemeinsam zu unternehmen. Gemeinsame Ausflüge, Wanderungen, Abenteuer, Urlaube usw. – einfach gemeinsame Erinnerungen schaffen und gute Zeiten gemeinsam erleben.

- Schwierig wird es, wenn man die Kinder des Partners behandelt, als wären es die eigenen. Oft sind diese emotional noch nicht dazu bereit, und meistens ist der andere Elternteil noch vorhanden, und die Kinder empfinden es als Bedrohung, wenn der neue Partner auf einmal versucht, zum Elternteil zu werden. Für mich war es das wichtigste Ziel, eine gute, freundschaftliche Beziehung zu Ernsts Kindern aufzubauen. Dafür habe ich sogar einige meiner Erziehungsprinzipien über Bord geworfen. Es hat sich ausgezahlt. Meine Kinder dagegen, haben Ernst, sozusagen, vom ersten Tag an, als Vater anerkannt, da sie ja keinen Vater mehr hatten. Heute sind die Geschwister sich einander so nahe, dass sie es nicht mögen, wenn wir von „Ernsts Kindern“ und von „Renates Kindern“ reden. Ich weiß, dass ich sehr geschätzt bin, und dass alle Kinder ihr Zuhause das nennen, was sie bei Ernst und mir finden. Dafür bin ich überaus dankbar.

• Es ist mir bewusst, dass jede Familie anders ist, und dass das, was für uns richtig war, nicht unbedingt auch für andere stimmen muss. Eines ist mir allerdings klar, und das ist: Wenn ich einen Partner mit Kindern heirate, dann heirate ich die Kinder mit. Sie dürfen kein leidiges Anhängsel sein, sondern sie müssen Priorität haben. Ihr Wohl und unsere Beziehung zu den Kindern des Partners sind mit ausschlaggebend für das Gelingen unserer Beziehung als Ehepaar.

• In unserer ehelichen Beziehung ist uns immer wichtiger geworden, den anderen kennen zu lernen und zu verstehen. Dazu gehört Ehrlichkeit und die Fähigkeit einander zuzuhören. Wenn wir verletzt werden, passiert es so leicht, dass wir einfach „zurückschießen“ anstatt herauszufinden, was der andere wirklich gemeint hat. Deshalb ist es wichtig zu fragen: Wie hat der andere das gemeint, was er gesagt hat: Was war seine Absicht? Was habe ich gesagt oder getan, das diese Reaktion bei meinem Partner ausgelöst hat? Was sind die Hintergründe? Vielleicht Kindheitsverletzungen, die ein Missverständnis ausgelöst haben? Kurz: Für uns ist es wichtig, mehr und mehr in den anderen hineinzukriechen, zu verstehen, wie der andere fühlt und denkt, denn das kann ganz anders sein, als wir selber Dinge sehen oder Äußerungen verstehen.

• Den anderen bedingungslos zu lieben, auch wenn wir ihn mal nicht verstehen oder verletzt sind; und die Bereitschaft zu vergeben, auch dann, wenn der andere unsere Haltung vielleicht nicht akzeptiert oder umgekehrt. Das ist eine bewusste Entscheidung, die wir treffen, die mit Gefühl zunächst nicht allzu viel zu tun hat. Wenn wir aber daran arbeiten und im Gebet darum kämpfen, wird das Gefühl folgen, und die Beziehung bereichert.

Für Ernst und mich wurde das Band unserer Liebe immer fester, je besser wir uns verstehen- und kennen lernen durften. Und dieses wirkliche „Kennenlernen“ geschah meistens durch schwierige Situationen und Phasen hindurch.

Ernst und Renate Frei, Neuseeland

Gesucht und gefunden – auch im Alter

Wir haben uns sprichwörtlich gesucht und gefunden! Dank Ihrer Hilfe.

Da wir beide über 70 Jahre alt sind, sind wir unserem Gott besonders dankbar, dass wir uns so gut verstehen und harmonisieren.

Wir beide haben unsere ersten Ehepartner durch Krebs verloren. Alleine haben wir das Leben nicht richtig in den Griff bekommen. Jetzt sind wir sehr glücklich und dankbar für jeden gemeinsamen Tag.

Gerhard und Monetha Landes
(Mechaniker und Stenotypistin, beide Rentner)
aus 85077 Manching

„Meine Hilfe kommt vom Herrn, der Himmel und Erde gemacht hat.“

Als wir uns vor fast vier Jahren kennen lernten, waren wir beide 30/33 Jahre alt. Nach einigen Jahren als Singles war es eine Herausforderung, ein gemeinsames Leben aufzubauen. Doch die Zeit des Kennenlernens sollte sich bewähren.

Diese Zeit nutzten wir, um viele verschieden Dinge miteinander zu erleben, viel zu diskutieren und mit gegenseitiger Aufmerksamkeit den eigenen Horizont zu erweitern, was auch nicht immer so einfach war.

Nach 2 Jahren Ehe schauen wir inzwischen doch auf einen spannenden Weg zurück, gesäumt von wachsendem gegenseitigem Vertrauen, Interesse, Achtung und Liebe.

Diesen Weg wollen wir weitergehen mit Gottes Hilfe. Denn ER gibt die gute Wegweisung.

Es ist zwar keine stolze Dauer, die wir hinter uns haben, aber anders können wir uns das Leben gar nicht mehr vorstellen; so sehr haben wir uns bereits an einander gewöhnt, ohne einander würde einfach etwas Wohltuendes fehlen!

Unser Trauspruch: „Ich schaue auf zu den Bergen. Woher kommt mir Hilfe? Meine Hilfe kommt vom Herrn, der Himmel und Erde gemacht.“ (Psalm 121, 1-2)

Wir danken Gott für die Chance, die uns mit dem cpd geschenkt wurde.

Stefan u. Simone Rist
(Bautechniker und
Direktionssekretärin)
aus
8180 Bülach / Schweiz

Es lohnt sich!

Es ist wunderschön zu erleben, wie unsere Ehebeziehung wächst. Ich (Christiane) habe mit 17 Jahren angefangen, ganz intensiv für meinen zukünftigen Mann zu beten – und ihn erst mit 44 Jahren kennengelernt...

Der Schritt zum cpd, für den ich viel Ermutigung brauchte, war ein Schritt aus der Isolation und das Eingeständnis, dass ich nicht nur Gottes, sondern

auch menschliche Hilfe brauchte, und dass ich wirklich die Ehe wollte.
Als dann nach mehr als sechs Monaten der allererste Kontakt durch den cpd entstand, war ich sehr, sehr aufgeregt und sehr froh.
In meinem Urlaub lernten wir uns dann kennen. Es war eine so natürliche Begegnung, so unkompliziert und einfach, alles von Gott so überraschend vorbereitet, dass wir bald beschlossen, zu heiraten. Als wir dann einige Zeit später das Aufgebot bestellten, erlebten wir sehr viel äußeren Widerstand von Leuten, von denen wir es am wenigsten erwartet hatten. Obwohl nun keine einfache Zeit folgte, haben wir uns – zum Glück! – nicht entmutigen lassen und zueinander gehalten.

Durch unsere Verschiedenheit gab es in unserer Ehe oft auch Meinungsverschiedenheiten. Doch hinterher war unsere Liebe noch größer als vorher.
Ich hatte Befürchtungen, täglich kochen zu müssen, oder gar nicht mehr alleine sein zu können – es ist ja die erste Ehe für mich! – aber es waren völlig unnütze Sorgen. Es macht mir Freude, Hausfrau zu sein und meinen Mann damit unterstützen zu können. Und ich erfahre so viel Geborgenheit durch die Gegenwart meines Mannes, dass ich absolut nicht mehr tauschen möchte.
Wir fühlen uns beide von Gott reich beschenkt und gesegnet und danken dem cpd für seine Hilfe und dass Ihr Euch von Gott habt gebrauchen lassen, damit wir zusammenfinden konnten.
Das schrieben Hans-Peter und Christiane Heitz vor **rund 15 Jahren.**

Aktuell, im Jahr 2010, bekam der cpd folgenden Bericht:
Wir wurden gebeten, für den CP-Dienst einen neuen Artikel zu schreiben, nach fast 15-jähriger Ehe. Es gibt so viel, was man schreiben könnte – aber es ist doch recht schwer, die richtigen Worte zu finden.

Mein Mann überlässt mir – Christiane – diese Aufgabe. Er meint, er sei des Schreibens nicht mächtig. Natürlich hat er zu diesem Artikel seinen „Segen“ gegeben.

Als ich das damalige Bild von vor über 15 Jahren mit dem heutigen verglichen habe, dachte ich: O, da ist uns aber das Lachen vergangen… Aber das scheint nur äußerlich der Fall zu sein.
Früher war ich immer auf der Suche: nach Heimat, einem Zuhause, einem Ehemann. Ganz bestimmt geht es vielen Singles so, die unfreiwillig alleine sind. Jetzt fühle ich mich angekommen. Gott hat mir ein Zuhause geschenkt, eine neue Familie (nebst 6 Enkelkindern in der Zwischenzeit) und eine neue wunderschöne Heimat.
Dieser Schritt auf die Ehe zu, mit diesem Mann, war allein schon lohnenswert.

Je länger man verheiratet ist, umso besser lernt man, miteinander umzugehen. Da jeder in seinem Leben Ablehnung erlebt hat und Verletzungen mit sich herumträgt, sind Missverständnisse natürlich nicht auszuschließen. Man scheint als Mann und als Frau ja sowieso zwei verschiedene Sprachen zu sprechen. In den ersten Blättern der Bibel wird vom Einswerden von Mann und Frau geredet. Und zwar ist nicht nur der körperliche Bereich, sondern auch der emotional-seelische gemeint. Wir empfanden es wirklich als etwas Besonderes zu erleben, wie wir uns in kleinen Schritten immer besser entgegen kommen konnten. Da **lohnt sich** Ehe auf jeden Fall.
Wir haben es von Anfang an so gehandhabt, dass wir immer gemeinsam aufgestanden sind und gemeinsam gefrühstückt

haben. Da kann man schon morgens miteinander Gemeinschaft haben und einander mit Segen und Gebet aus dem Haus entlassen. Dieser Segen fällt auf einen selber wieder zurück. Einander zu dienen, macht glücklich und ist ein lohnenswerter Einsatz!

Wenn man so spät heiratet, wie wir es getan haben – ich war 44 Jahre alt (Jahrgang 51) und Hans-Peter war 51 (Jahrgang 44) – ist das Alter so schnell und unerwartet da. Mein Mann ist nun schon eine Weile Rentner.

Gerade das Alter mit seinen Verschleißerscheinungen, ist eine große Herausforderung, mit der man eigentlich so nicht rechnet. Aber jetzt schon nach „1 x lebenslänglich" (im juristischen Sinn = 15 Jahre) erleben wir die süße Frucht, die mit der Zeit wächst. „Wahre Liebe ist die Frucht eines ganzen Lebens." Das ist auch unsere Erfahrung. Und es ist wirklich eins der größten Geschenke, die Gott dem Menschen gegeben hat. Jemandem ein Leben lang die Treue zu halten, durch dick und dünn zu gehen, durch gute und schlechte Tage, ist nicht etwa stinklangweilig, wie die Medien uns das immer wieder präsentieren, sondern ein großes Glück und echte Befriedigung. Es wächst eine Liebe, ein Zueinanderhalten, das Kraft schenkt, über sich selbst hinauszuwachsen! **Und das lohnt sich!**

Meine Eltern waren nicht sonderlich glücklich in ihrer Beziehung und ich habe immer gedacht, dass man doch mit Gottes Hilfe eine gute Ehe erleben müsste. Gott hat mein Vertrauen zu ihm nicht enttäuscht.
Wir sind immer noch sehr dankbar für den Dienst, den Ihr an uns getan habt! Gottes Segen für Euch!

Hans-Peter und Christiane Heitz
(Offsetdrucker-Meister und Erzieherin)
aus 77948 Schuttern

Kapitel 2

Darf man das überhaupt?

„Ist es denn biblisch, aktiv zu suchen?“ – „Ist bewusstes Suchen nicht ein Ausdruck von Misstrauen in Gottes Führung?“ – „Adam hat sich passiv verhalten und seine Eva bekommen.“ – „Was bedeutet ‚Gott schenkte mir…’ ganz praktisch?“
Viele Singles machen sich berechtigte Gedanken darüber.

In manchen gläubigen Kreisen herrscht die Meinung, es sei „unbiblisch“, aktiv einen Ehepartner zu suchen. Ein Gemeindeleiter sagte mir dazu einmal in ziemlich scharfem Ton: „Ein Christ sollte sich einen Ehepartner einfach von Gott schenken lassen. Aktives Suchen ist Sünde!“

Bei näherem Hinsehen wird man feststellen, dass auch bei der Frage der Partnersuche das Wort Gottes viel praktischer und realistischer ist, als man zunächst denken könnte.

Um nochmals auf Adam und Eva zurück zu kommen: Wir sind von der Wahrheit der Schöpfung durch den allmächtigen Gott überzeugt. Trotzdem darf man sich aus biblischen Geschehnissen nicht einfach Gesetze oder Lehren zusammenschustern. Die Situation von Adam und Eva war theologisch gesehen ein *einmaliges biblisches Ereignis.*

Genauso einmalig war Jakobs Brautwerbung für seine Rahel. Er musste zuerst jahrelang für seinen zukünftigen Schwiegervater arbeiten. Was kommt dabei heraus, wenn wir aus dieser Geschichte ein Gesetz oder eine Lehre machen? Nein, geschilderte Ereignisse dürfen nicht dogmatisiert werden, aber

wir dürfen uns überlegen, welche göttlichen, biblischen Prinzipien darin liegen.
Die Basis für alle Fragen der Partnersuche, Ehe, Berufswahl, ja für unser ganzes Leben, sollte sicherlich das Vertrauen in Gott und in seine vollkommenen Wege sein (in einem späteren Kapitel mehr dazu).
Doch wo ist die Bibel diesbezüglich nun „praktisch und realistisch“, wie wir angetönt haben?

Gott selbst fordert uns im Matthäusevangelium 7,7 dazu auf: „Wer bittet, dem wird gegeben.“ Wir dürfen, ja sollen Gott sogar, beispielsweise um den richtigen Partner bitten.
So heisst es auch: „Wer anklopft, dem wird aufgetan.“ Gott könnte sofort jede Tür öffnen, da er ohnehin weiß, was wir uns wünschen. Aber er möchte, dass wir zuerst anklopfen – uns im Vertrauen auf seine Güte zu Wort melden, aktiv werden. Dann wird er segnen und handeln.
Wir lesen außerdem: „Wer sucht, der wird finden.“ Auch hier dasselbe Prinzip. Ein Prinzip, das auch auf die Partnersuche angewendet werden kann und soll: im Vertrauen auf Gott werde ich aktiv suchen, bewusst suchen, gezielt suchen. Die Ergebnisse meiner Suche überlasse ich aber Gott und meine Entscheidungen treffe ich innerhalb seiner mir gesetzten Grenzen.

Bevor wir den cpd gründeten, gab es eine lange Zeit des Gebets und Prüfens vor Gott. Die Ereignisse aus 1. Mose 24 wirkten für uns sehr motivierend. Dort wird erzählt, wie Abraham seinen Knecht Elieser aussandte, um für Isaak eine Frau zu suchen. Elieser war also der erste, biblisch belegte, „gläubige Partnervermittler“. Er bekam ganz klare Vorgaben von Abraham. Die zukünftige Ehefrau durfte nicht aus den Heidenvölkern, sondern musste eine Tochter aus dem Hause Israel sein. Und Elieser kam diesem Aufrtag nach: unter Gebet und Bitten um Gottes Führung fand er tatsächlich eine Frau, die freiwillig mit ihm ziehen wollte: Rebekka.

Weder Abraham noch Elieser wurden aus Misstrauen Gott gegenüber aktiv – im Gegensatz zu jener Situation, als Abraham mit seiner Magd Hagar einen Nachkommen zeugte. Die ganze Geschichte der Brautsuche in 1. Mose 24 ist ein Beispiel von vertrauensvollem Handeln in der Abhängigkeit von Gott. Sie zeugt von gesegneter Aktivität, von gottgewollter praktischer Suche, an deren Ende wahrhaftige Anbetung stand!

Elieser war sozusagen der erste, der für einen Dritten einen Partner suchte. In der jüdischen Kultur hat „Eheanbahnung“ eine sehr lange Tradition.
Der Eheanbahner gilt im Judentum als Vertreter eines ehrwürdigen Berufszweigs und wird *Schadchan* (plural *Schadchonim*) genannt, was so viel wie Heiratsvermittler oder Brautwerber bedeutet. Das Wort entstammt dem Hebräischen oder Aramäischen.

Daher schränkt man Gottes Handeln nicht grundsätzlich ein, wenn man über eine Partnervermittlung nach seinem Ehepartner sucht. Die Bibel zeigt uns eindeutig, dass wir den Willen Gottes aus seinem Wort erkennen können. Wie sich Elieser an die Vorgaben Abrahams hielt und auf eine von Gott geleitete Suche ging, sollen auch christliche Partnervermittler nach biblischen Prinzipien vorgehen und Kriterien einer christlichen Partnerschaft beachten. Wenn dadurch Kontakte zustande kommen, bieten sie Möglichkeiten der persönlichen Wahlfreiheit – Gott hat dabei nach wie vor das „letzte Wort“, der Partnersuchende die Verantwortung, individuell zu prüfen und zu entscheiden.

Die Berufswahl ist ein anschauliches Beispiel wie aktives Handeln Gottes Führung nicht ausschließt. Wir wägen ab, informieren uns, fragen nach dem Willen Gottes und führen „Vorstellungsgespräche“. Niemand käme auf die Idee, zu warten, bis plötzlich ein Brief mit einem persönlichen konkreten Stellenangebot ins Haus flattert. Das wäre ein falsches „Hände in den Schoß legen". Außerdem würden wir dadurch von Gott fordern, dass er uns den Arbeitsplatz auf die Art und Weise schenkt, die wir selbst vorgesehen haben.

Wie viel wichtiger als die Berufswahl ist da die Entscheidung für einen Ehegefährten? Sollte man hier nicht umso weniger die „Hände in den Schoß legen" und mit „Zufallsbekanntschaften" rechnen? Sollte man da nicht umso weniger erwarten, dass Gott den Ehepartner auf dem Weg unserer eigenen Vorstellungen „serviert"?

Ausführliche Beschreibungen zu den biblischen Hinweisen und Prinzipien, die Partnersuche betreffend, finden Sie im Buch: ***„Partnersuche und Partnerwahl unter Gottes Führung"*** (vgl. letzte Seite in diesem Buch).

Unstimmigkeiten werden noch vor der Nachtruhe besprochen!

„Es ist nicht gut, dass der Mensch alleine ist“ (1. Mose 2,18). Nach dem Tod unserer Ehegatten wurde dieser Bibelvers uns erst richtig wichtig. Nach anhaltendem Gebet haben wir uns an den cpd gewandt. Er war für uns der Elieser von 1. Mose 24. Isaak hatte allerdings keine Auswahl – wir dagegen bekamen drei Vorschläge – und schon war der richtige Partner dabei. Wir

danken Gott und dem cpd, dass sie uns zusammengeführt haben. Wir hatten am 11. September 2004 eine schöne Hochzeitsfeier und sind sehr glücklich miteinander.“

„Inzwischen sind wir fünf Jahre glücklich miteinander verheiratet. Wir haben zusammen vier Kinder und sieben Enkelkinder.

Den jungen Paaren möchten wir das weitergeben, was unsere Ehe jung hält:
Wir machen jeden Morgen miteinander unsere Andacht.
Unstimmigkeiten werden spätestens vor der Nachtruhe miteinander besprochen.
Unsere Freizeitaktivitäten unternehmen wir meistens miteinander.
Der Leitspruch unserer Ehe steht in 1. Kor. 13: „Die Liebe ist langmütig und gütig, die Liebe beneidet nicht, sie prahlt nicht, sie bläht sich nicht auf; sie ist nicht unanständig, sie sucht nicht das Ihre, sie lässt sich nicht erbittern, sie rechnet

das Böse nicht zu; sie freut sich nicht über die Ungerechtigkeit, sie freut sich aber der Wahrheit..."

Egon und Christine Wall (ehem. Hausmeister und Verkäuferin) aus 71573 Allmersbach im Tal

Aber dann, nach 4 Jahren, hielt der Herr für mich den Leonhard bereit

Leonhard: Im Juni 2008 ermutigte mich Walter Nitsche auf einem Seminar, mich nochmals beim cpd anzumelden, da sich inzwischen beim cpd vieles positiv entwickelt und verbessert hat.

In den 90er-Jahren war ich schon mal Mitglied beim cpd gewesen, und hatte trotz mehreren Kontakten keine Partnerin fürs Leben gefunden. So fühlte ich mich unsicher, ob das ein Weg für mich wäre.

Nachdem ich im Juli von meiner Rumänienreise zurückkam, meldete ich mich dann doch beim cpd wieder an.

Es wurden mir dann sechs Frauen vorgeschlagen. Bei vier Frauen konnte ich mir eine Kontaktaufnahme vorstellen. Um aber etwas mehr Klarheit zu bekommen, machte ich eine Rangordnung: 1., 2., usw.

Die erste Frau, die auch einem Kontakt mit mir zustimmte, hieß Heidemarie Brockwitz. Wir haben uns am 7. September 2008 zum ersten Mal getroffen. Ende Oktober waren wir uns einig, dass wir heiraten wollten und am 21. November haben wir uns dann verlobt. Im Januar haben wir begonnen, über Hochzeitstermine zu spekulieren und im März entschieden wir uns für den Mai 2009.
Gott hat mich mit einer liebevollen Frau beschenkt, die das entsprechende Gegenstück für mich ist und mich wunderbar ergänzt. Nun sich wir schon ein Jahr glücklich verheiratet und können nur staunen, wie Gott unsere Wege zusammengeführt hat.

Ich kann dies alles nur als ein Wunder und ein Geschenk Gottes ansehen. Walter Nitsche und der cpd waren dabei ein Werkzeug des Herrn auf dem Weg zu unserem gemeinsamen Leben. Wir möchten euch hiermit ein ganz herzliches Dankeschön sagen und wünschen euch Gottes reichen Segen in eurem persönlichem Leben, euren Familien und im cpd.

Heidemarie: Ich, Heidi, hatte mich mit bangem Herzen im September 2005 beim cpd angemeldet. Damals war ich 5 Jahre verwitwet. Ich zweifelte sehr, ob man wirklich auf diesem Wege einen gläubigen Partner finden kann. Da ich aber die Anmeldung und das darauffolgende Warten täglich in Gottes Hände legte, konnte ich ziemlich ruhig über den Fortgang der Geschichte sein. 3 ¼ Jahre kam nichts zustande. Dann bekam ich zwei Kontakte zu Männern, deren Anrufe mich jedoch ziemlich schockten. Aber dann, nach 4 Jahren, hielt der Herr für mich den Leonhard bereit.

Es war eindeutig Gottes Wirken: Nach einem ganz offenen Telefongespräch zerstreute der Herr alle Gedanken des Misstrauens. Bei unserer ersten Begegnung konnten wir zusammen zu Gott beten, gemeinsam singen, feststellen, dass wir

geistlich auf einer Ebene und uns menschlich sehr zugetan waren.
Gott ist groß! ER hat mir einen ganz tollen, liebenswerten und liebenswürdigen Menschen an die Seite gestellt.

Leonhard und Heidemarie Vogel (Heilerziehungspfleger und Sozialarbeiterin im Diak. Werk) aus 04808 Wurzen

Bei unserem Kennenlernen war der cpd erst acht Jahre alt

Wir freuen uns, dass der cpd nun auf 25 Jahre erfolgreiche Arbeit zurückblicken kann.

Für unser Leben hat der cpd eine erfreuliche Wende gebracht. Wir sind Mitte 2010 **16 Jahre verheiratet**. Unsere beiden Söhne sind dann 13 (Matthias) und 11 Jahre (Michael) alt.

Wir beglückwünschen alle jungen Paare, die sich über den cpd kennenlernen dürfen.

Die ganz konkrete und gezielte Suche nach einem gläubigen Partner war für uns wichtig und wir würden allen Christen empfehlen, ebenfalls so zu suchen.

In unserer Ehe durften wir bisher immer spüren, dass unser Herr Jesus Christus das feste Fundament in unserer Beziehung ist, auch wenn es in unserem Leben schon manchmal stürmisch zugegangen ist. Für uns ist es eine große Beruhigung zu wissen, wohin wir mit unseren Fragen und Problemen gehen können.

Wir wünschen allen Paaren die Gewissheit, dass ihre Ehe im Himmel geschlossen wird.

Klaus und Monika Giesen (Dipl.-Ingenieur und kaufmännische Angestellte) aus 46244 Bottrop

Wir lernten (auch am Telefon) zu beten

Wir wurden auf unterschiedliche Weise von Gott auf den cpd aufmerksam gemacht: Bettina erhielt von einer Freundin den Rat, beim cpd teilzunehmen; Olaf fand eine cpd-Werbung auf einer Konzerteinladung. Beide hatten wir die Hoffnung, dass das ein guter Weg sein kann und meldeten uns an.

So hatten wir bereits seit Sommer 2001 mehrere Kontaktvorschläge vom cpd erhalten und uns auch mit verschiedenen Kandidaten getroffen, was aber nicht erfolgreich verlief. Als Olaf Ende August 2002 aus dem Sommerurlaub kam, fand er einen Brief vom cpd mit dem Kontaktvorschlag von Bettina. Ihre Beschreibung war ihm sehr sympathisch. Er schrieb ihr einen ausführlichen Brief.
An Olafs Brief gefiel mir (Bettina) besonders, dass er von seinem Glauben erzählte.

Und so bekam ich (Olaf) im September einen Anruf: „Hier ist die Bettina aus Berlin …"

Wir konnten uns gut und lange unterhalten, und nach ein paar Telefonaten trafen wir uns am 4. 10. 2002 in Berlin. Wir sahen uns ein wenig die Stadt an und nahmen uns viel Zeit zum Erzählen. Dann verging ein halbes Jahr bis zum nächsten Wiedersehen … diesmal in Dresden.
Zwischendurch telefonierten wir einmal pro Woche, verstanden uns gut und wurden richtige Freunde.

Was für uns sehr wichtig war: Wir lernten gemeinsam zu beten, auch am Telefon.

Als Olaf im August 2003 Bettina in Berlin besuchte, wollten wir abends etwas essen gehen. Wir saßen uns an einem einfachen Tisch auf Holzbänken gegenüber – auf einmal ist es passiert: Wir haben uns beide gleichzeitig ineinander verliebt.
Von da an telefonierten wir täglich und besuchten uns abwechselnd jedes Wochenende.
In einem Gottesdienst Ende August sah Olaf eindrücklich Bettinas Gesicht vor sich und empfand den bestätigenden Impuls: „Das ist deine Frau."
Ende November 2003 verlobten wir uns und besuchten dann ein Eheseminar von „Team F".
Am 7. Mai 2004 war unsere standesamtliche Trauung im Schöneberger Rathaus. Geheiratet haben wir am 8. Mai 2004 in der Dietrich-Bonhoeffer-Kirche in Berlin-Lichtenrade.

Wir haben festgestellt, dass wir trotz unserer unterschiedlichen Herkunft (Bettina aus West-Berlin und Olaf aus der ehemaligen DDR) richtig gut zusammenpassen. Wir sind eben **eines** Geistes Kinder! Und „Jesus in ihr" und „Jesus in ihm" – die zwei verstehen sich einfach prächtig.

6 Jahre später…

Wir sehen, dass Gott uns tatsächlich zusammengeführt hat und dass wir wie füreinander geschaffen sind. Um uns zusammenzubringen, hat Gott verschiedene Werkzeuge benutzt:

1. den Fall der Mauer und die deutsche Einheit,
2. den cpd und
3. natürlich den Heiligen Geist.

In unseren inzwischen mehr als 6 Ehejahren geht es uns miteinander richtig gut. Wir haben noch nie ernsthaft miteinander gestritten. Wozu auch? Wir verstehen uns einfach und freuen uns aneinander.

Die alltäglichen und auch die besonderen Dinge des Lebens versuchen wir gemeinsam im Glauben und im Gespräch zu bewältigen. Dazu gehört auf jeden Fall, dass wir gemeinsam beten, über Bibeltexte sprechen und uns in allen Dingen des Glaubens und das Alltags austauschen.
Im August 2007 kam unsere Tochter Christina zur Welt. Wir freuen uns sehr, dass sie da ist. Sie ist ein aufgewecktes und liebes Kind und weiß schon, dass „Jesus alle Kinder lieb hat..." Gott hat uns eine schöne Verantwortung gegeben, in-

dem wir sie haben, begleiten und erziehen dürfen. Da spüren wir, dass jeder Mensch von Gott geschaffen wird und ein Wunder Gottes ist.
Jetzt hoffen wir auf unser zweites Kind.

Wir möchten besonders all denjenigen Mut machen, die noch zögern und sich nicht so recht trauen: Aus unserer Erfahrung ist der Weg mit dem cpd ein sehr gesegneter Weg Gottes. Für uns hat es sich sehr gelohnt.
Und für alle, die demnächst vor den Traualtar treten: Gottes reichen Segen für Eure Ehe!

Olaf und Bettina Hecker
(Stimmpädagoge und Musiklehrerin)
aus 12305 Berlin

Es war, als kannten wir uns schon viel länger...

Seit vier Jahren war ich nun mit Jesus unterwegs. Ich merkte, dass mir durch sein Wort mein Leben wirklich neu geschenkt wurde und ich dadurch viel fröhlicher, lebendiger eben, geworden war. Gleichzeitig konnte ich auch besser mit den

„stürmischen Zeiten" zurechtkommen. Nachdem ich mit Männern bisher nur negative Erfahrungen, auch ziemlich bittere, gemacht hatte, kam mir die Idee, wie es wohl wäre, gezielt nach meinem „Traummann" (ich war 33 Jahre alt) zu suchen. In der „Lydia" las ich öfter die Werbung des cpd, und als ich auch noch ein Buch geschenkt bekam, in dem der cpd erwähnt wurde, dachte ich mir, das kann doch nichts „Schlechtes“ sein.

Ich ließ mir Unterlagen zuschicken. Überwältigt von meinem Vorhaben und meiner Courage „wanderten“ sie erst einmal für zwei Monate in meinen Schrank. Dann erst „schritt ich zur Tat“. Ich gab mir große Mühe mit dem Fragebogen.

Innerhalb von drei Monaten traf ich vier Männer. Aber keiner passte irgendwie zu mir. Immer fehlte etwas. Das war dann teilweise auch wieder bitter. Doch dann kam mein jetziger Mann! Zuerst war ich richtig sauer auf den cpd! Da ich aus Baden-Württemberg bin, wollte ich möglichste jemanden aus diesem Unkreis kennen lernen. Aber Karsten kam aus Berlin! Was sollte denn das? Doch seine Eigenschaften gefielen mir, und so ließ ich mir einen Brief von ihm schreiben. Vielleicht auch nur um zu sehen, dass es wieder einmal nichts war.

Es ergab sich dann aber ein Briefwechsel, der ziemlich zart und vorsichtig anfing. Nach einem Monat fingen wir an zu telefonieren; auch wieder vorsichtig und nicht darauf bedacht: DER muss es jetzt sein.
Dann besuchte mich Karsten in Mannheim. Was waren wir beide aufgeregt! Schon ziemlich bald merkte ich: Das könnte etwas werden!

Wir ähnelten uns in vielem. Vielleicht eine Seelenverwandtschaft. Beim Abschied dieses schönen Tages war es schon so, als kannten wir uns schon viel länger, und alles war plötzlich ganz anders!

In unserer Beziehung passierte alles von selber. Ich musste keine Anstrengungen mehr unternehmen, meine Wünsche zu verwirklichen. Wir beide gaben gleich viel füreinander, es war ein gegenseitiges Geben und Nehmen.

Ja, nun ging wirklich alles ganz schnell. Nach fünf Monaten haben wir uns verlobt und genau einen Tag vor unserem Kennenlernen des nächsten Jahres gaben wir uns das „Jawort“.

Uns ist klar, dass unsere Liebe etwas Kostbares ist, immer auf dem Weg, zu wachsen und zu reifen, wie z. B. mein Umzug jetzt nach Berlin, wodurch ich andere Bereiche meines bisherigen Lebens zurücklassen werde. Aber ich/wir vertrauen fest auf Jesus. Ich bin mir sicher, er weiß, wann für seine Kinder der richtige Zeitpunkt für alles ist und führt uns sicher durch alles hindurch, wenn wir uns in seine Hand fallen lassen.

Karsten und Claudia Kranich (EDV-Angestellter und Vewaltungsangestellte) aus 13591 Berlin

inzwischen mit Tochter Anna

Kapitel 3

Der individuelle Weg

„Dieser Gott – sein Weg ist vollkommen; die Rede des Herrn ist lauter; er ist ein Schild allen, die ihm vertrauen." (Psalm 18,31)

Ein Christ wünscht sich verständlicherweise eine Liebesgeschichte, die er mit dem Titel versehen kann: „Gottes Weg ist vollkommen."

Das ist gut und richtig. Und Gott möchte auch, dass seine Kinder dies erleben. Psalm 18,31 hilft uns mit zwei weiteren Hinweisen, diesen vollkommenen Weg Gottes auch praktisch gehen zu können. Der Psalmist erwähnt zum einen, dass die Rede des Herrn, das Wort Gottes, lauter ist: absolut zuverlässig, klar und rein. Das ermutigt uns, dass wir uns gerade beim Kennenlernen eines potenziellen Ehepartners Rat und Hilfe durch die praktischen Prinzipien in Gottes Wort holen. Zum andern dürfen wir dabei voll und ganz auf Gott selbst vertrauen; uns darauf verlassen, dass er uns richtig führen und uns vor falschen Wegen schützen will.

Gottes Führung kann so unterschiedlich sein. Schon in den bisherigen Berichten kam dies gut zum Ausdruck. Interessante Kennenlerngeschichten haben beispielsweise auch Angelika und Hartmut Steeb im Büchlein „Aber bitte nicht den!" zusammengefasst.

Auf einem cpd-Eheseminar erzählte ein Paar, dass sie sich „zufällig" im Flugzeug kennen gelernt haben, als sie in den Urlaub auf eine kanarische Insel flogen und entdeckten, dass sie beide gläubig sind. Ein Ehemann erzählte dagegen, dass er tief in sich von Gott gewusst habe, dass seine jetzige Frau

„die Richtige“ sei, als er sie das erste Mal im Gottesdienst gesehen hatte. Eine weitere Frau schilderte ihre Erfahrung, dass sie ihren Ehemann kennenlernte, als er ihr bei einer Autopanne zu Hilfe eilte.

Wie schön, wenn man auf diese Weise seinem Ehepartner begegnet. Beim Thema „**Wie** man sich fand“ ist es allerdings sehr wichtig, zwischen „individueller Führung“ und „biblischen Grundprinzipien“ zu unterscheiden.

Gottes individuelle Führungen sind facettenreich, vielseitig und einzigartig. Sie sind ein spezielles Erleben, genauso wie persönliche Lernerfahrungen. Aus individuellen Führungen kann man viel Gutes und Wichtiges lernen. Allerdings erheben sie keinen Anspruch auf Allgemeingültigkeit. Wenn also jemand eine besondere Führung erlebt hat, sollte er nicht meinen, dass jeder andere von Gott genauso geführt werden muss, geschweige denn, dass alles andere unbiblisch oder falsch sei (kommt leider oft vor). Genauso wenig sollte sich eine partnersuchende Person unter Druck setzen, indem sie meint, diese individuellen Führungen müssten auch auf sie zutreffen.
Pastor Kai Fassbeder schreibt dazu: „In der Bibel kann man nachlesen (1. Mose 24), dass Gott sich auch in übernatürlicher Weise zur Partnerschaftsvermittlung stellt und sie nachdrücklich segnet. Gottes Führungen sind oft wesentlich praktischer und weniger dramatisch als viele Christen es glauben.“

Biblische Grundprinzipien haben dagegen Allgemeingültigkeit. Gott hat sie uns in seinem Wort offenbart. Sie sind in allen zwischenmenschlichen Beziehungen fundamental wichtig und die Basis für ein Sich-Kennenlernen und ein gelingendes Beziehungsleben. Ein biblisches Grundprinzip ist beispielsweise, dass echte Liebe beim Gegenüber niemals erzwungen werden kann.

So hat auch diese Basis beim Thema „Partnersuche unter Gottes Führung“ Allgemeingültigkeit. Es ist wichtig zu vertrauen, dass Gottes Wege vollkommen sind. Gott selbst sagt zu uns: „*Ich will dich nicht verlassen noch versäumen*“ (Hebr. 12,5). Egal, ob mit oder ohne Ehepartner, er möchte die Grundlage unseres Lebens sein. Gott will uns Geborgenheit, Angenommensein und Wert schenken. Richtige Partnersuche sollte also damit beginnen, dass wir unserem Schöpfer und Erlöser neu unser Vertrauen aussprechen. Wir kommen bei ihm nicht zu kurz und ein Leben mit ihm ist auf jeden Fall sinnvoll – mit oder ohne Ehepartner.

Man kann sich verschiedene Möglichkeiten der Partnersuche ansehen, darüber beten und um inneren Frieden bitten. Manchmal braucht es einen mutigen Schritt, manchmal eine lange Bedenkzeit. Nicht nur wir, sondern viele cpd-Ehepaare wollen Sie dazu ermutigen, offen zu sein für Gottes individuellen, einzigartigen Weg, den er für Sie bestimmt hat, und darauf zu vertrauen, dass dieser wirklich vollkommen ist.

Mit unserer einzigartigen Art und Weise wurden wir füreinander geschaffen

Wir können uns, trotz anfänglicher Skepsis, kein besseres Gegenüber vorstellen!
Mit unserer einzigartigen Art und Weise, auch in unserem gemeinsamen Glauben, wurden wir füreinander geschaffen.

Wir sind sehr froh und dankbar, dass wir uns durch euch kennenlernen konnten. Als ich (Manuela) durch eine Umschulung nach Regensburg kam, hätte ich nie gedacht, dass ich hier meinen Mann kennenlernen würde. Als ich den Kontaktvorschlag von euch erhielt, war ich eher skeptisch, da ich als eingefleischter „Pfingstler“ ein nicht zu unterschätzendes Vorurteil gegenüber „Baptisten“ eingeprägt bekam. „Ein Bapist! Herr, warum tust du mir das an?“

Mir (Martin) ging es fast ebenso. „Eine Pfingstlerin! Oje, wird das mein innerer Friede aushalten?“ Und dann auch noch das kulturelle Interesse. Grundsätzlich habe ich ja nichts dagegen – aber jedes alte Gemäuer zu bewundern, als wäre es etwas besonderes, nein, das ist nicht meines…
Um unseren Vorurteilen nicht zu viel Raum zu geben, entschieden wir uns unabhängig von einander, es auf ein gemeinsames Treffen ankommen zu lassen, da aus den vorangegangenen Briefwechseln wunderbarerweise nichts Abschreckendes erkennbar war.

Nach dem ersten Treffen war ich (Manuela) bereits hin und weg. Martin hatte meines Erachtens auch einen recht guten Eindruck.

Nach einigen Treffen war ich (Martin) plötzlich so verunsichert, dass ich aus Angst um mein Dasein beinahe einen Rückzieher gemacht hätte. Nach einer sehr langen Nacht des Nachdenkens und nachdem wir beide unabhängig von einander dafür gebetet hatten, entschieden wir uns nach einem klärenden Gespräch, es doch miteinander zu probieren.

Für diese Entscheidung sind wir heute sehr dankbar. Aus heutiger Betrachtung könnten wir uns, trotz anfänglicher Skepsis, kein besseres Gegenüber vorstellen, dass wir mit unserer einzigartigen Art und Weise sowohl der privaten Natur als auch unserem gemeinsamen Glauben füreinander geschaffen wurden.

Auf einer Burg machte mir Martin am 3. Oktober 2003 einen Heiratsantrag. Überglücklich machten wir uns – trotz einigen Schwierigkeiten – daran, unsere Traumhochzeit zu planen. Am 5. März 2005 war es dann endlich so weit. Wir heirateten in der Baptistengemeinde Regensburg, in der ich (Manuela) ein glückliches Mitglied geworden bin.
Tja, wo die Liebe hinfällt, haben Vorurteile keinen Platz.

Wir werden immer an eure wertvolle Arbeit denken, dankbar, dadurch den wertvollsten Menschen auf Erden für uns gefunden zu haben. Gerne empfehlen wir euren Dienst weiter.

Zuletzt noch unser Trauspruch:
„Denn wohin du gehst, will ich auch gehen, und wo du bleibst, da bleibe ich auch. Dein Volk ist mein Volk, und dein Gott ist mein Gott. Wo du stirbst, da will ich auch sterben,

und dort will ich begraben werden. So soll der Herr tun und so hinzufügen – nur der Tod soll mich und dich scheiden.“ Ruth 1,16b-17

Inzwischen haben wir ein Dauerpflegekind, eventuell auch als Adoptivkind, den Andreas, der im Mai 2009 geboren wurde. Er ist für uns ein weiteres Wunder Gottes in unserem Leben. *„Gott hat die Lösung, bevor du ein Problem hast“* (Jesaja, 65,24).
Das haben wir wirklich eindeutig erfahren.

Denjenigen, die sich überlegen, diesen Schritt der Anmeldung beim cpd zu machen, möchten wir sagen: Fragt IHN und, wenn ihr Frieden und eine innere Ruhe darüber habt, dann tut es.

Es ist einer von vielen Wegen, durch den dir Gott mit Hilfe des cpd den Partner fürs Leben zur Seite stellen kann. Ein Partner, der wunderbar zu dir passt. So haben wir es persönlich erlebt.

Martin und Manuela Seitz
(Elektrotechniker und Kauffrau für Bürokommunikation)
aus 93138 Lappersdorf

Seit 16 Jahren sind Liebe und Vertrauen gewachsen

Vor gut 16 Jahren hat uns der cpd zusammengeführt. Seitdem sind wir ein glückliches Paar, und Liebe und Vertrauen sind gewachsen.

Wir danken Gott für unser gemeinsames Leben und für unser schönes Zuhause an der Unterelbe, gleich hinter dem Deich.

Hans-Peter und Gudrun Probst (Kaufm. Angestellter und Krankenpflege-rin/Bildhauerin) aus 25377 Kollmar

Gott hat uns damit beschenkt, dass unsere Gefühle den Verstand nicht überfordert haben

Nach unserer Aufnahme in den cpd war Matthias der erste Kontakt, den Carolin bekam – und umgekehrt war es genau so. Wir haben auch schnell bemerkt, dass wir von der "Papierform" her sehr gut zueinander passen. Carolin hat sich von Anfang in Matthias' Nähe wohlgefühlt, und er hat bemerkt, dass sie eine wunderbare Frau ist.

Aber wir waren nicht zu einer Vernunftehe bereit und wollten auf Verliebtheit warten.

Das Warten war nicht sehr schwer, weil unsere Kontakte angenehm waren.

Aber es war auch nicht sehr einfach: "Wo bleibt denn das Verlangen nach Zärtlichkeit?" – "Kann ich verantworten, sie noch länger 'festzuhalten'?" Wir haben ernsthaft an ein Lösen des Kontakts gedacht, als es doch noch passiert ist ...

Fast ein Jahr nach der Vermittlung haben wir uns verliebt, und zwar richtig. Es war schön und wird immer schöner!
So haben wir schnell und begründet ganz "Ja" zueinander gesagt.
Wir können auf die lange und intensive, von rosaroten Gefühlen (und auch weitgehend von Berührungen) unverblendete Phase des Kennen- und vor allem Schätzenlernens aufbauen.

Wir freuen uns über die Mails aus dieser Zeit und lernen uns weiter immer tiefer kennen, unter anderem in langen Gesprächen.

Unsere Tipps: Heiraten lohnt sich! Wenn Ihr einen Frieden darüber habt, wagt die Entscheidung füreinander. Ein verbindliches Ja zueinander gibt dem Miteinander einen gebührenden und von Gott gewollten Rahmen und eine Basis, auf der ein Paar weiter wachsen kann. Es ist gut und auch schön, einander diese Gewissheit zu geben.

Liebe Paare in spe, Ihr könnt Gott vertrauen! Lasst Euch alles zum Besten dienen!
Speziell wir sind mit dem langsamen und für lange Zeit „kopfigen“ Weg auch im Rückblick sehr, sehr zufrieden.
Gott hat uns damit beschenkt, dass unsere Gefühle den Verstand nicht überfordert haben, und vor allem damit, dass der jeweils andere den langsamen Weg mitgegangen ist.

Gott kann Euch auch anders führen – eben so, wie Ihr es braucht.

Mathias und Carolin Seybold
(Versicherungsangestellter und Grundschullehrerin)
aus 90482 Nürnberg

Wir beide wissen selbst nur zu gut, wie schwer so eine Partnersuche sein kann

Hoffnung können und möchten wir allen Teilnehmern machen – auch oder gerade weil wir beide selbst nur zu gut wissen, wie schwer so eine Partnersuche sein kann.

Nachdem beim 1. Date einer von uns aufgrund eines Missverständnisses umsonst gewartet hatte und auch der 2. Versuch nicht ganz ohne zeitliche Dramatik verlief, sah es zunächst so aus, als ob der Kontakt nicht zustande kommen sollte. Das war eine ziemliche Nervensache.

Diese und andere „Anlaufschwierigkeiten“ gaben uns allerdings auch die Zeit, in aller Stille herauszufinden, was unser himmlischer Vater für uns vorgesehen hat.

Danach ging aber alles sehr schnell, einfach weil wir die Gewissheit bekommen hatten, dass wir zusammengehören.

Wir wünschen diese Wartezeit niemanden, aber im Nachhinein sind wir für diese 5 oder 6 Wochen, die es gedauert hat, bis wir uns endlich kennenlernen konnten, sehr dankbar. Für uns war das eine wichtige Zeit.

Florian und Astrid Schmidt (Projektingenieur und Zahnärztin) aus 41236 Mönchengladbach

Jedes Neue ist einmalig und kann nicht kopiert werden

Nach einigen Versuchen mit anderen Partnersuchenden wurden uns durch den cpd unsere Personalien mitgeteilt. So weit, so gut. Wir vermuteten einen weiteren Versuch. Doch nach etlichen Telefonaten und auch Briefen waren wir uns schon vertrauter, so dass ein Treffen nun folgerichtig war.

Wir trafen uns in der „Hasenstadt" Paderborn, etwa in der Hälfte unseres jeweiligen eigenen Zuhauses. Ein erster Besuch in Paderborn galt einer Kirche. Nach intensivem Stadtbummel und einem aufwärmendem Kaffee in einem Lokal war die Zeit schon verflogen, und jeder trat wieder seinen Heimweg an.

In der Folgezeit gab es natürlich eine „Achterbahn" der Gefühle: sinnvoll, nicht sinnvoll; reicht es, reicht es nicht? Schließlich brachte eine gemeinsame Zeit in einem Rüstzeithaus am Titisee gemeinsame Zukunftsaussicht.

Da ein Zusammenleben ohne den Segen unseres Schöpfers nicht vorstellbar war, wurde alsbald der Termin für die Eheschließung fixiert.
Wir fühlen uns trotz sachlicher Probleme von gütiger Hand geleitet und sind in Erwartung, was uns noch weiter beschert wird.

Jahre später schreiben nun Charlotte und Dieter Schmidt auf die Frage nach ihren Erfahrungen und Ratschlägen:

Ein Zusatztext mit Ratschlägen ist nicht einfach, denn jedes Neue ist einmalig und kann nicht kopiert werden.

Was bei uns richtig war, muss nicht übertragbar sein, aber:
Offenheit, Ehrlichkeit,
Vertrauenswürdigkeit ist eine Seite, hin zu einer vertrauten Zweisamkeit. Sich dem Schöpfer allem Seins für eine Zweisamkeit zu öffnen, ist wesentlich mehr. Harmonie entsteht nicht im Ehevertrag; Harmonie entsteht dort, wo man sich unter Gottes Fügung stellt. Das haben wir buchstäblich erfahren.

Trotzdem liegen Steine auf dem Lebensweg, manchmal auch schwere Steine, die mit eigener Kraft nicht zu bewegen sind. Mit der Hilfe dessen, der jeden Menschen als einmaliges Individuum erschaffen hat, können Steine trotzdem unbeweglich bleiben, aber auch das hat einen unbegreiflichen Sinn.

Dieter und Charlotte Schmidt (Polizeibeamter in Pension und Hörgerätakustikerin) aus 34277 Fuldabrück

Kapitel 4

Die Liebe Gottes ist unvergleichlich!

„Es ist wie damals, als meine Tochter zur Welt kam", berichtete eine Seminarteilnehmerin. „Sie war voller Käseschmiere und Blut. Die Kopfform war nicht unbedingt rund und das Gesicht schien etwas zerdrückt. Außerdem schrie sie. Doch mein Mann und ich, wir waren in dem Moment einfach unendlich stolz und voller Freude über unser Töchterlein. Für uns war sie das wundervollste und schönste Baby der ganzen Welt, egal, was sie tat, einfach, weil sie war."

Eine andere Teilnehmerin konnte mit dieser Beschreibung von Gottes Liebe nicht so viel anfangen, da sie keine Mutter und alleinstehend war. Sie fand einen anderen Vergleich:
„Vor einem halben Jahr habe ich eine junge Katze zu mir genommen. Sie ist so drollig und ich liebe sie wirklich sehr. Natürlich freue ich mich nicht darüber, wenn sie auf meinen Teppich macht oder am Vorhang hochklettert. Aber sie tut mir einfach gut mit ihrer Anwesenheit. Ich liebe das Kätzchen und freue mich an ihm, weil es da ist."

Auch dieser Vergleich wird nicht jedem zusagen – Gottes Liebe ist einfach unvergleichlich und doch sagen die zwei Beispiele einiges aus.

Doch was hat das mit Partnersuche und Partnerschaft zu tun? Erfüllende Beziehungen, Freundschaften, eine Partnerschaft könnte man mit einer wunderschönen Rosenblüte vergleichen. Lassen Sie uns die Rose genauer ansehen. Sie besteht nicht nur aus der Blüte, sondern sitzt auf einem Stiel:

„Liebe deinen Nächsten, wie dich selbst", fordert Jesus uns in Matth. 19,19 auf. Bei dieser Aussage geht es nicht nur um Nächstenliebe – die Blüte – sondern auch um mich (*„...wie dich selbst"*) – der Stiel.

Andere lieben und annehmen zu können wie sie sind, setzt voraus, dass wir auch uns selbst lieben und annehmen, wie wir sind. Manch einem wird bei dem Gedanken etwas mulmig werden. „Mich lieben, okay, aber nicht so vollumfänglich, wie ich bin. Nicht **mit** meinen Schwächen. Ich kann mich nur so lieben und annehmen, wie ich **werden möchte**."

Bei anderen werden sofort alle Alarmglocken läuten. „Menschen, die sich **mit** ihren Schwächen und Fehlern lieben, werden automatisch arrogant, selbstherrlich und selbstverliebt. Wenn sie auch ihre Schwächen annehmen, dann haben sie ja nicht mehr das Bedürfnis sich verändern zu wollen."

Nun ist es an der Zeit, unserer Rose auf den Grund zu gehen. Betrachten wir die Wurzeln:
„Wir lieben, weil er uns zuerst geliebt hat." (1. Joh. 4,19)

Wenn wir uns und andere lieben wollen, dann müssen wir zuerst auf Gottes Liebe sehen. Und Gott tut genau das, wozu Jesus uns später mit der Selbst- und Nächstenliebe auffordert. Er liebt uns! Seine Liebe bedeutet, dass er uns genau so annimmt, wie wir sind, ja mehr noch, dass er sich freut über uns. Wie bei den Vergleichen mit dem Neugeborenen und der Katze. Gott freut sich über uns, weil wir durch seine Hand existieren. Nicht, weil wir wenig sündigen, regelmässig in der Bibel lesen oder engagiert für sein Reich arbeiten, sondern einfach nur, weil wir **sind.** Weder das Baby noch das junge Kätzchen taten etwas, damit sie geliebt und angenommen wurden, und auch wir können selbst nichts dazu tun, dass wir geliebt und angenommen sind – aber auch nichts dagegen!

Gottes Liebe ist unvergleichlich und in einer Beziehung mit ihm werden uns immer wieder neue Aspekte und neue Facetten seiner Liebe bewusst. Je mehr wir ihn und seine Liebe kennenlernen, desto leichter fällt es uns auch, uns so anzunehmen und zu lieben, wie wir sind. Der Stiel der Rose wird also von selbst kräftiger und saftiger. Da der Grund, die Wurzel, Gottes Liebe ist, müssen wir auch keine Angst vor Selbstverliebtheit haben. Das einzige, was passieren kann, wenn wir uns der Liebe Gottes mehr und mehr bewusst werden, ist, dass wir uns geliebt und angenommen wissen und dass diese Liebe übersprudelt.

So kommen wir wieder zu unserer Rosenblüte. Wenn wir uns so annehmen und lieben können, wie wir tatsächlich sind, fällt es uns leichter, unseren Nächsten zu lieben und so anzunehmen, wie er ist. Wenn wir selbst barmherzig mit uns umgehen, wird es uns leichter fallen, mit unserem Gegenüber barmherzig zu sein – die Rose blüht immer schöner.

Wer sich auf das Wagnis Partnersuche einlässt, dem kann es passieren, dass er direkt auf seinen Traumtyp stößt. Manche cpd-Paare berichten davon, dass sie schon das Foto beim Kontaktvorschlag sofort angesprochen hat. Oft wird man aber feststellen, dass man seine Vorstellungen vom „perfekten" Partner loslassen muss. Wenn man offen wird, sieht man hinter mancher „merkwürdigen" Fassade und hinter manchem „eigenartigen" Verhalten einen wahren Schatz, den Gott selbst in jeden Menschen hinein gelegt hat.

„Ich danke dir, dass ich wunderbar gemacht bin; wunderbar sind deine Werke; das erkennt meine Seele."
(Psalm 139,14)

Manchmal muss man seine Vorstellungen verlassen, um neue positive Erfahrungen zu machen

Dorothea: Für mich war Markus der 4. oder 5. Kontakt, den ich über den cpd näher kennen lernte. Es war keine Liebe auf den ersten Blick. Beim ersten Treffen hatte ich eher unbewusste Vorurteile gegen Männer mit Sportwagen und Sonnenbrille.

Zuerst sah es so aus, als ob wir wenig gemeinsam hätten. Markus entsprach anfangs vom Äußeren und auch in anderen, für mich noch wichtigeren Bereichen nicht dem Typ Mann, den ich bis dahin auf Anhieb anziehend gefunden hatte. Da er aber sehr nett war, haben wir uns trotzdem ein zweites Mal verabredet – und bei diesem und jedem folgenden Mal wurde Markus immer interessanter.

Es folgten noch viele Unternehmungen und Gespräche. Einiges musste geklärt werden. Entgegen meiner ersten spontanen Meinung stellten wir schließlich fest, dass wir in sehr vielen Bereichen ähnliche Ansichten haben und auch Leben im Glauben gut teilen können. Und ich konnte immer mehr

all die tollen Eigenschaften und Gaben an Markus entdecken, die mir anfänglich verborgen waren.
Außerdem habe ich gelernt, dass man auch äußere Schönheit an Menschen oft nicht sehen kann, wenn man nur nach bestimmten Wunschbildern sucht. Lässt man sich jedoch auf reale Möglichkeiten ein, die Gott einem schenken möchte, kann sich das ganz schnell ändern.

Ich schätze mich glücklich, dass Gott mir so einen lieben, schönen, begabten und wundervollen Ehemann geschenkt hat!

Markus: Für mich war Dorothea der 1. Kontakt. Ihr Bild hatte mich nicht ganz so überzeugt. Ich fand sie aber nach dem ersten Brief doch ganz nett. Nach dem ersten Treffen und guten Gesprächen freute ich mich sehr, dass sie einem weiteren Treffen zusagte. Wir verstanden uns ganz gut, allerdings war sie vom Typ her anders als meine Vorstellung von „der Traumfrau". Doch nach weiteren Treffen verliebte ich mich in sie. Ich durfte feststellen und erleben, dass wir in Glaubensdingen und Alltäglichem sehr viele Gemeinsamkeiten hatten.
Heute bin ich sehr glücklich darüber, dass ich von meinen anfänglichen Vorstellungen abgewichen bin und eine tolle Frau heiraten durfte. Manchmal muss man eben seine Vorstellungen verlassen, um neue Erfahrungen zu machen und dadurch zu gewinnen.

Wir danken ganz herzlich für eure super professionelle Arbeit – es ist ein tolles Werk, was ihr da tut! So haben Christen aus unterschiedlichen Gemeinden die Gelegenheit, einen Partner zu finden, und deshalb empfehlen wir den cpd gerne weiter.

Markus und Dorothea Joas
(Lagerist/Zweiradmechaniker und Heilerziehungspflegerin)
aus 91362 Pretzfeld

Überrascht von denselben Überzeugungen

Cornelia war erst wenige Tage Mitglied beim cpd, als sie mit den ersten Vorschlägen auch den von Michael erhielt. Sie war höchst überrascht von der Übereinstimmung ihrer Angaben mit denen des Kontaktvorschlags. Das Passbild jedoch ließ sie unsicher werden, so dass sie zunächst eine Kontaktaufnahme ablehnte. Nach einigen Wochen und weiteren Vorschlägen entschied sich Cornelia schließlich doch zur Kontaktaufnahme mit Michael, das Äußere sollte keinen so großen Einfluss ausüben.

Nach acht Monaten cpd-Mitgliedschaft und über zehn erfolglosen Kontaktvorschlägen rechnete Michael mit keinem passenden Vorschlag mehr. Doch nun hielt er ihn in seiner Hand und er ließ ihn über die Maßen erstaunen: Der Kontaktvorschlag stimmte geradezu im Detail mit seinen Angaben der Wunschpartnerin überein. Freudig gespannt schrieb er seinen ersten Brief an Cornelia.
Als Cornelia seinen Brief las, war sie über ihre Entscheidung froh. Der Brief berührte sie sehr, obwohl sich Michael darin lediglich näher vorstellte.
Cornelias Antwortbrief erfreute Michael und ließ ihn hoffen. Etwas überraschte ihn, dass Cornelia bereits in ihrem ersten Brief grundsätzliche Fragen zu klären begann; sie erkundigte sich nach seiner Glaubensüberzeugung und nach seinen Vorstellungen von Ehe. Gern nahm Michael die Gelegenheit wahr, bereits zu diesem frühen Zeitpunkt herauszufinden, ob überhaupt eine gemeinsame Grundlage für eine Ehe bestand.

Ein weiterer brieflicher Austausch über tiefer gehende Fragen folgte, wobei sich immer mehr Gemeinsamkeiten herausstellten. Nach drei Wochen vereinbarten sie ein erstes Treffen, wobei sie einander schon vorab zugestanden, aufgeregt sein zu dürfen und Schweigeminuten nicht als peinlich empfinden zu müssen.

Nach ihrem Treffen waren Michael und Cornelia sehr aufgewühlt; noch nie war ihnen jemand begegnet, der ihnen so ähnlich war und sämtliche Überzeugungen teilte. Michael hatte Cornelia ins Herz geschlossen. Cornelia war sich noch nicht sicher, ob sie dies zulassen wollte und sollte.

Nach zwei Wochen weiteren Briefaustauschs fand ein zweites Treffen statt. Bei diesem verstärkte sich beiderseits die Zuneigung. Michael war sich nun sicher: Cornelia ist die Frau, auf die er so lange gewartet hatte. Cornelia brauchte etwas mehr Zeit, doch nach ein paar Wochen hatte auch sie die Sicherheit, dass Gott sie mit Michael zusammengeführt hat und an seiner Seite ihr Platz ist! So verlobten sich Michael und Cornelia kaum drei Monate nach ihrem Kennenlernen und nach einem weiteren halben Jahr heirateten sie.

Inzwischen sind vier Jahre vergangen…

Seit unserer Hochzeit verbringen wir die schönste Zeit unseres Lebens, weil wir einander haben und einen himmlischen Vater, der uns liebt und für uns sorgt. Von ihm wissen wir uns auch in schwierigen Zeiten getragen.

Voller Freude darüber, dass es cpd gibt, ermutigen wir einen jeden, der sich einen Partner wünscht, den Schritt zu wagen und bei cpd Mitglied zu werden.

Michael und Cornelia

Als würden wir uns schon eine Ewigkeit kennen

Im Herbst 1989 haben wir uns unabhängig voneinander beim cpd angemeldet in der Hoffnung, einen gläubigen Ehepartner zu finden. Kurze Zeit später hat jeder von uns eine Auswahl an Bild-Daten bekommen. Schon die Bild-Daten des jeweils anderen hatten uns angesprochen, ja man könnte sagen: Bei beiden hat es „sofort gefunkt“. Wir stimmten beide mit „Ja“ zu und täglich wuchs die Hoffnung, einen Brief oder einen Telefonanruf zu bekommen.
Rund zwei Wochen später haben wir uns bereits das erste Mal getroffen: Treffpunkt „beim Bahnhof“ – das war schon ein komisches Gefühl, aber es hat sich gelohnt! Wir verbrachten einen wunderschönen Tag miteinander; so, als würden wir uns schon eine Ewigkeit kennen.

Wir haben uns dann immer wieder gesehen und im Herbst 1990 schmiedeten wir bereits Hochzeitspläne, die wir dann im März 1991 auch umsetzten.

Nun sind wir schon 19 Jahre lang glücklich verheiratet...

Wir haben drei liebe Kinder: Sabrina, 17 Jahre, Luca und Marco (Zwillinge) 13 Jahre alt.
Wie es im Leben so ist, gibt es Hochs und Tiefs, die wir immer wieder mit Gottes Hilfe meistern konnten. Hier „einige“ Tipps, die wir gerne jungen Paaren weitergeben möchten:

- Achte deinen Nächsten höher als dich selbst
- Gottes Fürbitte in jeder Situation
- Beschenke deinen Partner auch spontan, nicht nur an Weihnachten, Geburtstag, etc.

• Verbringt viel Zeit miteinander im Gespräch und Gebet
• Verbringt von Zeit zu Zeit ein Wochenende alleine - ohne Kinder
• Wenn Streitigkeiten noch offen sind, nicht darüber schlafen, sondern reden

Wir machen allen Partnersuchenden Mut, sich auch dem cpd-Team anzuvertrauen, es lohnt sich!

Flavio und Adriana Bäni-Barull (Zimmermann und Arzthelferin) aus 7302 Landquart / Schweiz

Er hat mich nie gedrängt

Um meinen Mann fürs Leben zu finden, meldete ich mich nach einem Jahr Bedenkzeit und Gebet beim cpd an. Nach einem weiteren halben Jahr – zu diesem Zeitpunkt hatte ich 2 „erfolglose“ Kontaktaufnahmen hinter mir – wurde mir mein jetziger Ehemann Reinhold vorgeschlagen.

Ich hatte sehr gemischte Gefühle, denn einerseits machte mich sein Foto sehr neugierig, andererseits musste ich mich wieder emotional auf einen fremden Menschen einstellen, aussagekräftige Briefe schreiben, aufregende Telefonate führen, ein persönliches Treffen organisieren, und letztlich eventuell mit der Enttäuschung fertig werden, dass wir nicht zusammenpassen.

Im Nachhinein gesehen kostete mich zwar jede Kontaktaufnahme viel Energie, aber ich lernte mich selbst auch jedes Mal ein Stück besser kennen. Welche Eigenschaften sind mir an meinem Ehemann besonders wichtig? Wo habe ich übersteigerte Vorstellungen, die nicht zu erfüllen sind?

„Gott sei Dank" gab ich Reinhold und mir eine Chance …
Um es mir leicht zu machen, drängte ich ihn recht schnell zum E-Mail-Schreiben und zu einem persönlichen Kennenlernen. Ich konnte ja nicht ahnen, dass ich sein erster Vorschlag war und er voller Energie und Lust zum Schreiben steckte.
Er schrieb mir ausführliche persönliche Briefe und ignorierte einfach mein Drängen, sich möglichst schnell zu treffen.
Nach ein paar Wochen besuchte der Bayer mich endlich in Baden-Württemberg.
Wir waren uns auf Anhieb sympathisch und staunten darüber, wie gut unsere Vorstellungen und Einstellungen zu den wichtigsten Fragen des Lebens übereinstimmten.
Bald merkte ich, dass Reinhold sich in mich verliebt hatte, ich in ihm aber eher einen Bruder sah. In dieser Zeit war es sehr wichtig für uns beide, offen über unsere Gefühle zu

sprechen. An den Wochenenden verbrachten wir viel Zeit miteinander und zeigten uns auch unser privates Umfeld (Familie, Kirchengemeinde, …). So lernten wir uns sehr gut kennen!
Mich beeindruckte, dass mein jetziger Mann mich zu keiner Entscheidung drängte, sondern auf engagierte aber nicht zu aufdringliche Art und Weise um mich warb. Was für tolle Ausflüge er sich ausdachte! Später gestand er mir, dass er in dieser unsicheren Zeit viel für eine gemeinsame Zukunft gebetet hatte.

Ganz allmählich verliebte ich mich in Reinhold und bemerkte plötzlich diese „Schmetterlinge im Bauch“, auf die ich immer gewartet hatte.
Da wir beide die innere Sicherheit bekamen, dass Gott uns füreinander bestimmt hat, verlobten wir uns bald. Nach weiteren vier Monaten, die voll gepackt waren mit einem christlichen Ehevorbereitungskurs (sehr zu empfehlen!) und meinem Umzug nach Bayern, heirateten wir.

Mittlerweile sind fast 3 glückliche Jahre vergangen und wir haben ein weiteres Geschenk erhalten: unseren kleinen Sohn Mattis.

Wenn es Unstimmigkeiten in unserer Ehe gibt oder ich mich ab und zu nach meiner Heimat sehne, trägt uns immer eine große Dankbarkeit, dass Gott uns unseren sehnlichsten Wunsch nach einem Partner erfüllt hat.

Reinhold und Julia Weber (Außendienstangestellter und Bürokauffrau) aus 83395 Freilassing

Gleich ein gutes Gefühl

Mein Mann und ich haben uns über den CPD kennengelernt und ein 3/4 Jahr später geheiratet. Damals war ich 38 Jahre alt und alleinerziehend mit zwei 7- und 9-jährigen Töchtern. Mein Mann Kamill war 46 Jahre alt und führte einen Bauernhof, auf dem suchtkranke Menschen eine Therapie machen können.

Schon länger war ich beim CPD Mitglied und hatte auch

schon einige Bekanntschaften per Briefkontakt und Telefon gemacht. Doch ich war mir immer unsicher, ob der nun der Richtige sein sollte, oder der Andere beendete den Kontakt zu mir.

Bei Kamill hatte ich gleich beim ersten Brief und Telefonat ein ganz starkes und gutes Gefühl. Als wir uns dann nach einigen Telefonaten das erste Mal trafen, war ich etwas enttäuscht, weil ich ihn mir doch anders vorgestellt hatte. So betete ich und fragte Gott, ob Kamill nun wirklich mein Mann werden sollte. Danach stellten sich überraschenderweise eine totale Verliebtheit und eine tiefe Liebe ein, die mir von Gott geschenkt wurde, die von Kamill genauso erwidert worden ist und die bis heute anhält. Wir stimmen im Glauben und in unseren Wertevorstellungen überein und beide lieben wir Kinder sehr.

So haben wir uns auch sehr über unsere zwei gemeinsamen Kinder gefreut, die uns Gott noch dazu geschenkt hat. Unsere

kleine Maria ist nun 2 ½ Jahre und Alois ein halbes Jahr alt. So sind wir nun eine 6-köpfige Familie geworden.
Wir sind noch immer dabei zusammenzuwachen, was nicht von heute auf morgen geht. Für Kamill, langjähriger Junggeselle, der viele Pilgerreisen und ein Leben in einer Männergruppe auf seinem Bauernhof gewohnt war, ist das Umstellen auf eine Familie nicht immer einfach. Aber die Freude und Liebe zu unserer Familie und Jesus in unserer Mitte, der uns bei allen Schwierigkeiten hilft und uns alles gibt, was wir brauchen, lässt uns neu werden.

Auch viele gemeinsame Erlebnisse und Erfahrungen verbinden uns immer mehr und unser Vertrauen zueinander wächst stetig.

Zur Zeit wohnen wir noch in einer 4-Zimmer-Wohnung in einem Wohnblock. Wir bauen aber an einem Haus, schräg gegenüber vom Hof. Dieses Haus war bei unserer Hochzeit noch eine totale Ruine, und es ist schon ein Wunder, wie weit wir da gekommen sind. Wir hoffen, nächstes Jahr dort einziehen zu können.

Zeitweise dachten wir auch schon daran, den Hof aufzugeben, weil er sich finanziell gar nicht lohnt. Aber zur Zeit machen wir noch weiter, einfach aus dem Wunsch heraus, uns nicht nur um uns selbst zu drehen, sondern anderen Men schen zu helfen.

Das war mir übrigens auch schon vor unserem Kennenlernen ein Anliegen, das sich nun auch erfüllt hat. Viele Menschen haben dort ihre Bekehrung erlebt und eine Kehrtwendung um 180 Grad gemacht. Natürlich nicht alle, aber in den 14 Jahren, die der Hof schon besteht, waren es viele. Deshalb hat er für uns einen ideellen Wert, den wir auch als Familie mittragen wollen, auch wenn es manchmal ein Kunststück ist, alles unter einen Hut zu bekommen. Aber wir merken, dass wir dadurch sehr gesegnet sind.

Wir fühlen uns durch Gott reich beschenkt und danken IHM. Jetzt fühlen wir uns erst ganz. Und dem CPD danken wir natürlich auch, denn wie hätten wir uns sonst jemals kennengelernt.

Wir wünschen noch vielen Leuten so großes Glück.

Kamill und Kirsten Nowak
(Suchttherapeut und Kunstpädagogin)
aus 14913 Neuhof

Kapitel 5

Unseriöse Anbieter und „schwarze Schafe“

Als meine Frau und ich uns über die Gründung einer Partnervermittlung Gedanken machten, wurden wir mit der peinlichen Tatsache konfrontiert, dass die meisten Vermittlungen unseriös arbeiteten (nach einer soziologischen Studie eines Lausanner Professors: über 90%).
Eine christliche Partnervermittlung gab es damals noch nicht, und so fragten wir uns, ob unser Vorhaben überhaupt richtig sei.

Es vergingen Wochen und Monate mit Beten, Nachdenken und Gesprächen mit reifen Christen, bis sich die Antwort Gottes für uns immer deutlicher herausschälte: Gerade unter so viel Unseriösem, sollten wir einen seriösen Gegenpol setzen. Wir wollten in absolut lauterer und sauberer Weise einen Vermittlungsdienst aufbauen.

Bis zum heutigen Tag unterliegt der cpd daher strengen Prüfkriterien, um Seriosität und ethische Prinzipien ständig zu gcwährlcisten.

Die Daten der Teilnehmer werden absolut vertraulich behandelt, alle cpd-Mitarbeiter unterliegen der Schweigepflicht. Um selbst im Internetzeitalter perfekt vor Hackern geschützt zu sein, ist das interne cpd-EDV-System nirgends mit dem Internet verbunden.

Daher benötigt jeder Arbeitsplatz in der cpd-Zentrale zwei PC´s – einen für den Kontakt „nach außen“ wie Internet, und einen für die „interne Arbeit“.

Das „Departement für Soziales und Sicherheit" übernimmt in der Schweiz eine Kontrollfunktion für Partnervermittlungen. Der cpd ist dort als seriöses, eigenständiges Unternehmen anerkannt.

Ein weiterer Punkt, der uns schon bei der cpd-Gründung wichtig war, ist, die Bedürfnisse der Partnersuchenden stets im Auge zu behalten. So ist der cpd bis heute eine Non-Profit-Organisation. (= nicht auf Gewinn ausgerichtetes Unternehmen).

Die Mitarbeiter werden ständig geschult, um optimale, auf den einzelnen gut abgestimmte Partnervorschläge machen zu können.

All unseren hohen Ansprüchen können wir als Menschen selbst gar nicht gerecht werden und so sind wir froh, uns vor jedem Arbeitstag mit den Mitarbeitern zusammensetzen zu können und unserem großen Gott den cpd, die Teilnehmer und die Vermittlungsarbeit hinlegen zu können.

Die Zeit hat sich in den letzten 25 Jahren gewandelt, neue Bedürfnisse und Wege der Vermittlung entstanden, und welche für den cpd und die Partnersuchenden gut wären, musste säuberlich durchdacht werden.

Eine Zeitschrift wurde ins Leben gerufen („friends for life") mit viel Raum für Partnersuch-Anzeigen.

Wir hatten große Freude an diesem Magazin und die Resonanz war recht gut. Trotzdem stellten wir dieses Projekt bald wieder ein.

So auch einige Jahre später, als wir mit hohem Aufwand eine Internetplattform, zuerst auf Deutsch, später auf Englisch,

Niederländisch, Ungarisch, Russisch und Tschechisch programmierten. „Perfekt für unser Zeitalter", möchte man denken. Viele Teilnehmer waren auch begeistert, und doch mussten wir auch diese Plattform wieder schließen.

Weshalb? Weil wir bei beiden Projekten der Realität ins Auge blicken wollten, ohne sie zu beschönigen:

Zum einen erwiesen sich die Nachteile der Kontaktanzeigen als weitaus größer als die Vorteile oder die konkreten Erfolge. Allein durch die beschränkte Auswahl – bei Kontaktanzeigen gab es Reaktionen von etwa 20 Interessierten pro Anzeige – sind die konkreten Erfolge sehr gering. Im Gegensatz dazu kann bei der Vermittlung durch den cpd aus inzwischen Tausenden von in Frage kommenden Singles eine bemerkenswerte Auswahl für gezielte Kontaktvorschläge getroffen werden. (Vor- und Nachteile von Kontaktanzeigen finden Sie im Buch „Partnersuche und Partnerwahl unter Gottes Führung".)

Zum anderen beschäftigte uns die Vielzahl von (gläubigen) Partnersuchenden, die eigentlich beziehungsunfähig sind, sehr: Menschen, die Hilfe und Seelsorge gebraucht hätten und keinen Partnerkontakt! Einer dieser beziehungsunfähigen Herren ging sogar so weit, dass er bereits mit einem Koffer vor der Haustür einer alleinstehenden Frau stand und mit den Worten „Gott hat mir gezeigt, dass Sie meine Frau werden sollen" Einlass verlangte. Die Frau musste sogar die Polizei rufen.

In Internetforen oder Anzeigenblättern ist es leider nicht möglich, solche Leute auszuschließen, man kann ja jederzeit seinen Namen ändern und von vorne beginnen. Deshalb können diese Partnersuchenden weiterhin im Trüben fischen – und finden immer wieder gutgläubige Opfer.

Leider wird der cpd auch immer einmal wieder mit solchen Menschen konfrontiert. Wir haben jedoch die Möglichkeit – wenn eine Beziehungsunfähigkeit oder sonstige „Störung“ offenbar wird – die betroffene Person direkt anzusprechen und die Kontakte zu anderen Partnersuchenden zu sperren, bis eine erfolgreiche Seelsorge oder Therapie nachgewiesen werden kann. Gelegentlich muss eine Person, die „im Trüben fischt“ auch bleibend ausgeschlossen werden, was einen gewissen Schutz für die anderen cpd-Teilnehmer darstellt.

Dieser Schutz konnte weder bei den Anzeigen, noch auf der Internetplattform gewährleistet werden. Obwohl es wirtschaftlich gesehen viel interessanter gewesen wäre, die Interessenten würden „selbst übers Internet suchen“, statt Tag für Tag und Woche für Woche unsere gezielte, individuelle Partnersuche in Anspruch zu nehmen, wollte der cpd zweifellos seriös und auf die wahren Bedürfnisse von Alleinstehenden abgestimmt bleiben.

Heute können wir dazu nur sagen: „Auch das hat unser Gott gut geführt…“

...war zeitweise schon recht frustriert...

Über die Zeitschrift des „Weißen Kreuzes“ bin ich auf den cpd aufmerksam geworden. Nach längeren inneren Kämpfen ließ ich mir die Unterlagen zuschicken und war beeindruckt von der Offenheit und der Seriosität dieses Dienstes. Auch die ehrliche, rechtschaffene Auskunft, wie Teilnahme- und Erfolghonorare aufgeteilt bzw. verwendet werden, wie auf die Wünsche der Teilnehmer eingegangen und wie die Beziehung zu Gott als wichtiger Aspekt behandelt wird – das alles hat mich schließlich dazu bewogen, mich beim cpd anzumelden. Diese Entscheidung habe ich nie bereut – auch wenn ich zeitweise recht frustriert war, denn es hatte zwar immer wieder gezielte Kontaktvorschläge gegeben, aber zu einer harmonischen Partnerschaft kam es nie.

Wegen einem anderen Kontakt habe ich sogar die Suche über den cpd längere Zeit ruhen lassen. Doch dann habe ich den Vorschlag von Jean-Pierre aus der Schweiz (ich selbst wohnte im südbadischen Weil am Rhein) bekommen. Ich konnte mir ein Kennenlernen gut vorstellen und so nahmen wir persönlichen Kontakt miteinander auf. Das Interesse an dem anderen wuchs zusehends. Berufliche Aspekte mussten noch geregelt werden. Nachdem wir unser Ja zueinander gefunden hatten, konnten wir auch an einer cpd-Tagung im Nordschwarzwald einen Bericht von unserem Kennenlernen ablegen, worauf wir viele positive Feedbacks erhalten haben. Am 5. Juli 2003 feierten wir im Kreise unserer Familie unsere Verlobung. Und im Februar 2004 unsere wunderschöne Hochzeit...“

Gerne teilen wir auch eine positive Erfahrung mit, die wir durch die Werbung für den cpd gemacht haben: Eine Cousine von Jean-Pierre hatte Interesse an der Arbeit des cpd. Deshalb gaben wir ihr die cpd-Info-Broschüre. Rund ein Jahr später, an Weihnachten, kam die freudige Mitteilung, dass sie sich angemeldet und genau an ihrem 50. Geburtstag den Bund fürs Leben geschlossen hatte. Dies ist mittlerweile auch schon mehr als zwei Jahre her.

Liebe Grüße und weiterhin alles Gute und Gottes reichen Segen für die Arbeit, die so notwendig und wertvoll ist.

Jean-Pierre und Ruth Gossin-Bürglin (ehemaliger Postangestellter und Arbeiterin) aus 3014 Bern / Schweiz

Als Witwer und Vater von drei kleinen Kindern ist Partnersuche kein einfaches Unterfangen

Susanne: Volker und ich haben uns im Jahr 2007 durch den CPD kennen gelernt und nach einem halben Jahr geheiratet. Volker war Witwer mit drei Kindern im Alter von 5, 8 und 10 Jahren, und ich seit vielen Jahren als Single unterwegs. Wir waren uns nach relativ kurzer Zeit einig, eine Partnerschaft miteinander einzugehen – wenn auch nicht ohne heftiges Ringen im Gebet um eine Entscheidung meinerseits.

Da das Verhältnis mit den Kindern von Anfang an sehr positiv war, haben wir nach nur einem halben Jahr geheiratet. Wichtig für unsere Entscheidung war das Wissen, dass der

Partner in Verantwortung und „Rechenschaft“ vor Gott lebt und wir einen gemeinsamen Anlaufpunkt haben, gerade auch im Hinblick auf Schwierigkeiten, die beim Zusammenfinden und Zusammenleben nicht ausbleiben. (Was sich dann auch sehr bewährt hat...)

Heute geht es uns sehr gut miteinander. Die Kinder werden größer und sind froh, wieder in einer vollständigen Familie zu leben, auch wenn ihr Papa alles immer sehr gut gemanagt hatte. Wir Erwachsene genießen unser Zusammensein mit gelegentlichen Meinungsverschiedenheiten und freuen uns einfach, dass Gott unser Familienleben so segnet.

Rückblickend bin ich, Susanne, sehr froh über alle die Vorbereitungen, die Gott in meinem Leben gelenkt hat. Darunter auch Seminare für Singles, auch bei euch, dem cpd. Wir hätten uns nie über die üblichen christlichen Veranstaltungen kennen gelernt. Ich war als Single bei entsprechenden Events unterwegs, Volker auf Familienfreizeiten…

Beim cpd schätze ich besonders den seriösen und geschützten Rahmen der Vermittlung. Zu wissen, dass „schwarze Schafe“ aus der Vermittlung ausgeschlossen werden, beruhigte mich sehr.

Volker: Als Witwer und Vater von drei kleinen Kindern ist Partnersuche kein einfaches Unterfangen. Die Zeit für ein Kennenlernen ist stark begrenzt, und jedes Treffen erfordert die Unterbringung der Kinder.
Und was antwortet man auf Fragen, wohin man fährt? Besonders gut hat mir bei dieser Art der Vermittlung durch den cpd gefallen, auf Frauen zu treffen, die ein wirkliches Interesse an einer Partnerschaft haben und dass ich so auf mehr Entschlossenheit gestoßen bin als bei Kontakten über Anzeigen in christlicher Zeitschriften.

Volker und Susanne Hertler
(Sanitär -Meister und Bauzeichnerin)
aus 70794 Filderstadt

600 km entfernt – von allein wäre ich nie weggezogen

Irene: Da ich nie den richtigen Partner gefunden hatte, hatte ich mich schon damit abgefunden, alleinbleiben zu müssen. Eine Frau aus meiner Gemeinde erzählte mir vom cpd, doch ich war noch lange nicht bereit, diesen Weg zu gehen. Als ich dann einen Info-Tag von Walter Nitsche besuchte und seine Bücher gelesen hatte, war ich entschlossen, es zu wagen. Ich wusste, dass in meinem Alter, Chancen für Frauen eher gering sind, aber ich dachte: Entweder hat der Herr einen Partner für mich oder nicht.

Günther war der dritte Kontaktvorschlag. Ich war von Anfang an über unsere Übereinstimmungen überrascht.

Wir trafen uns, nach sechs Wochen telefonischen Kontakts, das erste Mal in Berlin. Danach war uns klar, dass wir uns weiter sehen wollen. Wir besuchten uns im Abstand von zwei bis vier Wochen und lernten uns immer besser kennen. Ich gewann ihn mehr und mehr lieb.

Das Problem war, dass Günther kurz vor unserem Kennenlernen arbeitslos geworden war. Die Zeit der Arbeitslosigkeit war für Günther eine schwere Zeit. Ich wollte ihm auf jeden Fall zur Seite stehen und helfen. Das Warten und Beten hat sich gelohnt. Durch viel Fürbitte und Einsatz, auch lieber Geschwister aus meiner Gemeinde, hat er jetzt einen neuen Arbeitsplatz.

Jetzt wussten wir, wo wir gemeinsam wohnen können und konnten dann auch unsere Hochzeit planen. Unser Hochzeitspruch ist Psalm 4,4.

Wir danken dem Herrn, dass er den cpd für uns beide gebrauchte.

Günther: Als ich im Frühjahr 2004 eine Umschulung zum Alten-pfleger erfolgreich ab-schloss, ahnte ich nicht, dass ich danach längere Zeit arbeitslos sein würde. In dieser Zeit bemühte ich mich – intensiver als vorher – um eine Partnerin. Einerseits hatte ich ja genügend Zeit, andererseits merkte ich das Alleinsein in dieser Zeit besonders stark. So entschloss ich mich, das Angebot des cpd zu nutzen. Der Inhalt des Fragebogens und die Art und Weise des Vorgehens gefielen mir. Nach mehreren Vorschlägen und auch einem Treffen, das ohne Erfolg war, lernte ich im Dezember des gleichen Jahres

Irene kennen. Sie kam aus der Kölner Gegend, aus einem kleinen Ort, dessen Namen ich nie zuvor gehört hatte, 600 km von meinem Wohnort Fürstenwalde entfernt.

An einem Wintertag trafen wir uns das erste Mal in Berlin. Sie hatte sich Urlaub genommen, und so verbrachten wir einige Tage gemeinsam.

Wir merkten schnell, dass uns viele gemeinsame Interessen verbanden, ob Sport oder Kultur. Doch ganz wichtig ist und war uns das gemeinsame Gebet. Dann trafen wir uns regelmäßig, und mit jeder Begegnung wurde sie mir liebenswerter. Durch ihre Bemühung erhielt ich auch eine neue Arbeit. Leute aus der hiesigen Kirchgemeinde unterstützten uns dabei im Gebet, aber auch durch praktische Hilfe.

Von allein wäre ich nie aus Fürstenwalde weggezogen. Aber als ich meine Frau kennen lernte, wurde mir klar, dass es auch anders geht. Hier in Nümbrecht fand ich von allen Seiten freundliches Entgegenkommen.

Inzwischen bin ich hier schon fast zuhause und im Männerchor wie auch im Kirchenchor aktiv.
Im Februar dieses Jahres heirateten wir. Es war eine wunderschöne Hochzeit.
In meinem Leben ist eine Wendung eingetreten; vom Ich zum Wir. In alldem erkenne ich die Hand des Herrn. Dafür bin ich dankbar. Ich wünsche dem cpd, dass er weiterhin erfolgreich ist und noch viele Menschen zusammenbringt, wie er uns zusammengebracht hat.

Nach vier Jahren:

Nach dem Wegzug aus meinem Heimatort habe ich hier in Nümbrecht ein neues Zuhause gefunden. Ich habe einen festen Platz im Gemeindeleben und konnte auch beruflich wieder Fuß fassen.

Inzwischen sind wir vier Jahre verheiratet. Die Zeit unserer Ehe verging wie im Flug - und bekanntlich vergehen ja nur gute Jahre schnell. Wir ergänzen uns wunderbar, haben aber auch viele Gemeinsamkeiten.

Wir merken immer wieder, dass unsere Liebe kein Strohfeuer war, sondern sogar stetig wächst. Deshalb danken wir dem Herrn dafür, dass er uns zusammengeführt hat.

Unser Tipp für andere Paare, die sich kennen lernen: Es ist wichtig, nicht unbedingt auf Äußerlichkeiten zu achten. Außerdem sollte man immer das Wohl des Anderen im Blick haben und nicht nur das eigene. Eine christliche Ehe lebt vom täglichen Bibellesen und Gebet.

Dem cpd wünschen wir auch weiterhin gutes Gelingen und Gottes Segen für seine verantwortungsvolle Arbeit.

Irene und Günther Barkow
(Physiotherapeutin und Altenpfleger)
aus 51588 Nümbrecht

Kapitel 6

Verheiratet – was nun?

„Ich hab´s doch nur gut gemeint!" In ihren Worten liegen Entrüstung, Enttäuschung, Bitterkeit, existentielle Frustration. Sie fühlt sich missverstanden, abgelehnt, Opfer von Undankbarkeit und ungerechten Vorwürfen. Sie hat es doch nur gut gemeint! Und der andere reagiert so unverständlich negativ. Wie kann das bloß sein?! Am besten, so denkt sie, ich tu´ oder sag´ überhaupt nichts mehr, streng´ mich gar nicht mehr an, da ich ja sowieso nur Undank ernte. Natürlich fühlt sie sich völlig im Recht, denn sie „hat´s ja nur gut gemeint". Die Enttäuschung sitzt tief. Die Wunde wird vernarben, doch ein weiterer Schritt der Entfremdung ist getan.

Nicht nur die Not alleinstehender Christen, sondern auch die von Eheleuten machte uns tief betroffen. Wir mussten feststellen, dass vor der Ehe, in der Kennenlern-Phase, viele Irritationen und Unsicherheiten herrschten, aber auch folgenschwere Fehlentscheidungen getroffen wurden. Manchem Ehepaar hätten wir gerne viel früher, bei der Frage der Partnersuche und Partnerwahl konkrete Hilfestellung gegeben. Wir merkten – um einen Vergleich zu verwenden – dass manches Hemd besser sitzen würde, hätte man schon den ersten Knopf richtig zugeknöpft, denn wenn der erste Knopf nicht stimmt, passen auch die weiteren nicht, das ganze Hemd sitzt schief.

Seit über 30 Jahren sind wir nun schon in der Eheberatung tätig. Inzwischen hat sich diese Tätigkeit auf Österreich, Ungarn, Deutschland, die Schweiz und auf andere Länder ausgeweitet. Wir trafen weit über 300 Paare aus verschiedensten sozialen Schichten und religiösen Hintergründen, und immer wieder ist uns aufgefallen: „Lieben will gelernt sein". Erfüllende Liebe fällt einem nicht aus heiterem Himmel in den Schoß.

Wir wünschten uns früher oft, dass wir die Gelegenheit gehabt hätten, den Schatz eines erfolgreichen Lieben-Lern-Prozesses den Eheleuten schon vor der Hochzeit näher zu bringen. Deshalb entstanden mit der Gründung des cpd nicht nur die gezielte Partnervermittlung, sondern auch die Seminarangebote zur Persönlichkeitsentfaltung und Beziehungsförderung.

Doch weil Gott jeden einzelnen Menschen als wunderbares, kompaktes Kunstwerk geschaffen hat, wurden auch die verschiedensten Beziehungsblockaden in ihrer Vielfalt deutlich. So zog eine beratende Tätigkeit die nächste nach sich. Was war mit den Menschen, die nicht beziehungsfähig waren? Oder andere, die zuerst lernen mussten, sich selbst anzunehmen, bevor sie andere annehmen konnten, wie sie waren? Was war mit Menschen, die in einer vergangenen Beziehung große Enttäuschungen und schwere Verletzungen erlebt hatten, mit denen sie nicht umgehen konnten? Oder solche, die von Zweifeln gegenüber Gott geplagt wurden?

Viel Not sahen wir, und jeder hätte Hilfestellung in einem ganz persönlichen, individuellen Bereich gebraucht.

Deshalb weitete sich dieser zweite Arbeitszweig des cpd immer mehr aus. Inzwischen sind die cpd-Seminare so konzipiert, dass sie für Ledige, Geschiedene, Verwitwete oder Verheiratete Impulse zur Stärkung und Entwicklung der eigenen Persönlichkeit und Beziehungsfähigkeit geben. Ganz unabhängig davon, welcher christlichen Glaubensrichtung man angehört.

Dies ist möglich, weil die Fach-Seminare sich mit Persönlichkeits-, Kommunikations- und Beziehungsthemen befassen, auf individuelle Weise ineinander fließen und den Themen auf den Grund gehen. Ergänzt werden können sie mit Seminar- und Urlaubswochen, die sowohl Erholungs- und Freizeitangebote wie auch Seminareinheiten miteinander verbinden.

Dieser Arbeitszweig nimmt einen großen, wichtigen Platz beim cpd ein. Das Ziel: Menschen zu einem erfüllten Leben inmitten der Geborgenheit des Willen Gottes zu verhelfen – ob als Verheiratete, Alleinlebende oder Partnersuchende.

Einen Überblick der erwähnten Seminare finden Sie unter: www.cpdienst.com/seminare
oder in der cpd-Seminarbroschüre, die Sie kostenlos beim cpd anfordern können:

Deutschland:
cpd-Seminare
Glockwiesenstr. 5, 75217 Birkenfeld
Tel. 07231 – 47 21 64
E-Mail: zentrale@cpdienst.com

Schweiz:
cpd-Seminare
Sophie-Guyer-Str. 5, 8330 Pfäffikon
Tel. 044 – 951 23 57
E-Mail: info-ch@cpdienst.com

Österreich:
cpd-Seminare
Kehlegg 145, 6850 Dornbirn
Tel. 05572 – 37 28 30
E-Mail: info-a@cpdienst.com

Sichtbares Wachstum

Vor 12 Jahren lernten wir uns über den cpd kennen. Inzwischen sind wir **10 Jahre verheiratet**.

Aus zunächst einseitiger Verliebtheit wurde eine gegenseitige Liebe. Wir lernten uns lieben, fühlten uns wohl miteinander – und waren doch so unterschiedlich.

Diese Andersartigkeit, die uns anfangs am Anderen faszinierte, führte mit der Zeit zu Schwierigkeiten.

Es gab und gibt manchmal Zeiten, in denen wir an der Andersartigkeit des Anderen verzweifeln – wo es Streit gibt und wir uns fragen, ob wir den Weg wirklich gemeinsam weitergehen sollen.

Aber dann gibt es auch oft die Zeiten, wo wir den Anderen als Bereicherung sehen, Zeiten, wo wir uns einander sehr nahe fühlen. Zeiten, wo man sich ergänzt, vom Anderen lernt. Vielleicht haben wir zueinander gefunden, um uns weiterzuentwickeln und an den eigenen negativen Eigenheiten zu arbeiten. Gott will, dass wir wachsen und reifen.
Auch Freunde geben uns die Rückmeldung, wir hätten uns positiv verändert.

Unsere Ehe ist sicher nicht immer harmonisch. Und trotzdem ist die Liebe so stark, dass wir nicht mehr ohne einander sein möchten. Das gibt uns Mut, zusammen zu bleiben.

Fazit: Auch wenn man sehr unterschiedlich ist und die Interessen jeweils anders gelagert sind – die Ehe kann trotzdem gelingen und glücklich sein.

Reiner und Martina Obergfell (Produktionsleitungs-assistent und Kinderkrankenschwester) aus 78056 VS-Schwenningen

500 km waren zu überbrücken

Als Sie uns das Foto zuschickten, ahnten wir noch nicht, dass wir uns einmal so lieb haben könnten. Beide hatten die Hoffnung eigentlich aufgegeben. Wie würden wir uns nun kennenlernen? 500 km waren zu überbrücken. Konnte man sich, wenn man sich nur an Wochenenden sah, für eine Ehe vorbereiten?

Bald trafen wir uns regelmäßig alle zwei Wochen. Die Telekom freute sich. Es war kostspielig, aber wir wollten wissen, ob wir wirklich zusammengehörten. Nebenbei stellten wir fest, dass die Entfernung gut war, da jeder nun wirklich prüfen musste, ob er sich eine Ehe mit dem anderen vorstellen konnte, auch wenn die Gefühle nicht immer am Hoch lagen. Oder wenn durch Missverständnisse per Telefon oder Brief der andere nicht als Supermann oder -frau erschien.

Schwächen wurden gesehen und offen besprochen. Für uns beide war es zugleich ein dauerndes Verbundensein mit Gott. Was war nun Liebe?
Karl war schon nach drei Monaten sicher, dass Gott uns zusammengestellt hatte.
Viola wusste es erst zwei Monate später.
So besuchten wir ein Seminar für Verlobte, bewältigten zusammen noch manche Schwierigkeit und feierten am 30. August unser Ehe-Versprechen. Vielen Dank für Ihre Hilfe!

Nun sind es 13 Jahre her…

Die Figur ist nicht mehr dieselbe und zwei lebendige Kinder, Jonathan (11 Jahre) und Jasmin (9 Jahre) bereichern unser Leben.

Unser Tipp: Ein Eheseminar ist keine Rettung für solche, die es nötig haben, sondern tut **jeder** Ehe jederzeit gut. Wir wurden dadurch reich beschenkt!

Karl und Viola Brunner (Lagerist und Wirtschafterin) aus 86666 Burgheim

Die Zankthemen führten nicht zur Auseinandersetzung, sondern zur Zusammensetzung

Werner war fünf Jahre Witwer, seine Kinder waren bereits ausgeflogen und so war er mit 68 alleine in einem großen Haus. Sollte er vielleicht doch noch einmal heiraten?
Alle Versuche im Umfeld schlugen jedoch fehl: Die Damen hatten entweder eine Wohnung, die sie so schnuckelig eingerichtet hatten und nicht verlassen wollten, oder waren im Witwenstand und hatten mit den Kindern und Enkeln ausreichend zu tun oder wollten einfach keine Männer mehr.
Da kam der Hinweis auf den Christlichen Partnerschaftsdienst gerade recht, den er natürlich auch mit gemischten Gefühlen in Anspruch nahm. Sehr bald bekam Werner Post mit drei Vorschlägen und das mittlere Foto sprach ihn rein schon vom Äußeren her an. Die Berufsbezeichnung „Altenpflegerin" war auch nicht zu verachten.

Auch Heidi hatte den Wunsch und die Sehnsucht nach einem Partner. Sie war 57 Jahre alt, als sie begann, diesem Wunsch im Herzen nachzugehen. Im Gebet fragte sie Gott immer wieder, er möge ihr zeigen, ob dieser Ehemann-Traum ihr eigner Wunsch war oder sein heiliger Wille.
Zu dieser Zeit lebte sie in Garmisch, war Altenpflegerin, hatte ein gutes Umfeld, war in einer Freien Evangelischen Gemeinde und war auch nicht unglücklich ohne Partner. Und doch zeigte es sich, dass es für sie bestimmt war, in Zukunft zu heiraten. So begann sie ihren Freunden und ihrer Gemeinde von ihrem „Ehevorhaben" zu erzählen. Gott möchte ja, dass seine Kinder Schritte unternehmen. Viele fingen nun an für sie zu beten.
Aber woher sollte dieser Ehemann kommen? Sie wollte ja unbedingt einen Witwer und einen wiedergeborenen Christen. Da besuchte sie eine Single-Freizeit des cpd in Oberstdorf. Mit einer cpd-Mitarbeiterin hatte sie ein wunderbares

Gespräch, in dem diese Heidi erklärte, wie so eine „Suche“ ablaufen kann.
Im November 2006 meldete sie sich beim cpd an. Nach zwei Wochen bekam Heidi die ersten Vorschläge geschickt, war aber von den Offerten nicht angesprochen. Eine längere Pause trat ein. Aber ihr Herz vertraute weiter auf Gott.

Unerwartet lag ein neues „Angebot“ – ein bereits zugestimmter Vorschlag – im Briefkasten. Spannend! Dieser Vorschlag sprach sie an und als sie im Februar 2007 den ersten Vorstellungsbrief erhielt, wusste sie sofort: Das war er: Witwer, Christ, 4 Kinder, 8 Enkel, missionarisch tätig – unglaublich – ihr Herz spielte verrückt.

Werner freute sich sehr, dass er einen Treffer gelandet hatte – denn jetzt bekam er eine Adresse und eine Telefonnummer. Bald vereinbarten die beiden ein Treffen in Seeshaupt am Starnberger See.
Werner war natürlich weit vor der Zeit da, sein Herz klopfte, als ihr Auto ankam. Als er sie musterte, war er etwas ernüchtert: Sie war nicht hässlich, sie war einfach anders als in seiner Vorstellung.

Aber sie wollten sich ja kennenlernen und so erzählten sie sich gegenseitig aus ihrem Leben. Es war einfach schön, dass sich jemand für einen interessierte.
Als Heidi Werner das erste Mal sah, war sie doch recht enttäuscht. Sie dachte: Oh Gott, wie mein Vater, wie ein Opa! Er war recht trist angezogen und da sie ein sehr visueller Mensch ist, war sie enttäuscht und steckte ihn in irgendeine Schublade.
Was macht man so auf einem ersten Treffen? Die Zwei gingen spazieren und Werner erzählte aus seinem Leben. Sie war beeindruckt, aber die berühmten Schmetterlinge rührten sich weder bei Heidi noch bei Werner.
Als sie dann essen gingen und er ihre Hände in die Seinen nahm – da wusste sie auf einmal, dass er es sein wird.
Der erste Kontakt war also geknüpft. Sie telefonierten viel, machten Ausflüge, besuchten sich in den Wohnorten und nach 10 Monaten feierten sie Verlobung und planten in Kürze ihre Hochzeit.
Aber langsam machten sich Ecken bemerkbar: Heidi war so gefühlvoll, so anspruchsvoll! Sie waren sehr verschieden und doch wollten sie den Weg gemeinsam weiter gehen. So verlobten sie sich im September 2007, aber Werner wurde mit der Zeit etwas Angst und so entlobten sie sich doch drei Monate später wieder.
Eine sehr schmerzliche Zeit begann für beide, vor allem aber für Heidi, die so fest an ihn glaubte.
Ihr Verlustschmerz war groß. Sie rief immer wieder zu Gott, er möge ihr zeigen, warum diese Trennung? Sie wusste, dass Werner für sie bestimmt war. Eines Nachts sprach Gott zu ihr und zeigte ihr auf, woran es lag. Ihre Augen wurden geöffnet. Sie hatte viele Fehler gemacht. Dies teilte sie Werner in einem 4-seitigen Fax mit.
Heidi lebte doch auch irgendwie in Werners Herzen weiter. Als er ihr Fax erhielt, wurde ihm klar, dass sie sich verändert hatte. Die Zankthemen führten nicht zur Auseinandersetzung, sondern zur Zusammensetzung, zur Einsicht. Für Werner hat-

te Heidi eine erneute Chance verdient. Überglücklich nahmen die beiden wieder die Verbindung auf; auch der cpd freute sich mit.

Dann ging alles ganz schnell. Eine 4-monatige Prüfungszeit endete mit einer erneuten Verlobung und mit einer traumhaften Hochzeit im September 2008. Heidi verließ ihr geliebtes Garmisch, um an der Seite ihres Mannes in Amberg einen neuen Abschnitt ihres Lebens zu beginnen. In allem spürt sie den Frieden Gottes.
Die ganze Zeit wurde sie vom cpd getragen und getröstet. Es war der beste Weg, den Gott sie hat gehen lassen. Heidi ist sich sicher: Gott segnet diese Partnervermittlung sehr. Jedem, der sich an den cpd wendet, möchte sie sagen: Habt Geduld und Vertrauen zu Gott.

So sind sie Gott dankbar, der auch nach schmerzlichen Kurven wieder einen Neuanfang möglich machte, der sie über den cpd zusammenführte und der sie auch über den cpd durch gute Seminare und hervorragende begleitende Bücher ihr sehr verschiedenes Naturell verstehen ließ.

Wir wünschen dem cpd noch viele glückliche Paare!

Werner und Heidi Flach
(Dipl. Ing. Elektrotechnik
und exam. Altenpflegerin)
aus 92224 Amberg

Das tägliche Ja zum Partner ist notwendig

Es ist schwierig, passende Zeilen zu finden, denn es gibt ja nicht das Patentrezept für eine glückliche Beziehung.
Wir sind durch viele Hochs und Tiefs gegangen.

Ein Satz ist uns dabei wichtig geworden: „Das tägliche Ja zum Partner ist notwendig, weil Missverständnisse durch unterschiedliches Denken, weil Empfindlichkeiten durch Gefühlsschwankungen und unterschiedliches Wollen und Wünschen die Partnerschaft gefährden."

Das klingt kompliziert, fasst aber alles zusammen. Wir haben uns auch nicht gescheut, in Schwierigkeiten Hilfe bei anderen Paaren zu suchen. Ich denke, gerade als Christ ist man gefährdet, dass „nach außen" alles perfekt sein muss.
Probleme zugeben bringt einfach weiter!

Stefan und Sabine Wüthrich (Maurer/KV-Angestellter und Allrounderin) aus 8360 Eschlikon / Schweiz

Es ist alles ganz anders, als man es aus irgendwelchen Filmen kennt

Nachdem meine liebe Frau mir die Grundbegriffe des PCs beigebracht hat, schreibe ich nun den ersten Brief auf so einem Gerät. Gar nicht so einfach, wenn man im Allgemeinen gröbere Werkzeuge gewohnt ist.

Wenn wir so zurückdenken, so ist doch allerhand geschehen, seit ich von Ihnen das Infomaterial im Januar 99 anforderte. Es ist wie ein Wunder, als ob man ein spannendes Buch liest.

Wir danken beide Gott von ganzem Herzen, haben wir doch seine Führung und schützende Hand erfahren und sind beide reich gesegnet worden.

Es ist alles ganz anders, als man es aus irgendwelchen Filmen kennt, und so finden wir, dass romantisierende Gefühlsduselei allenfalls etwas aus der Scheinwelt von Hollywood ist. Nein, das hier ist „Leben Live".

Lässt man sich auf Gottes Verheißungen ein, so kommt die kleine Welt eines durchschnittlichen mitteldeutschen Junggesellen ganz schön durcheinander. Seit wir uns im Herbst 99

kennen lernten, habe ich die meisten Nächte nur fünf Stunden geschlafen, denn es wurden zunächst eine Reihe Briefe geschrieben, viel und lange telefoniert, etwa 40000 km gefahren. 1998 hatte ich mein neues, selbstgebautes Haus bezogen – jetzt fing ich schon wieder an zu bauen, denn wir hatten beschlossen, nach der Heirat das Dachgeschoß zu bewohnen, und meiner Mutter das Erdgeschoß zu überlassen.
So nebenbei war man ja auch noch berufstätig, wobei ich im Morgengrauen mein Heim verließ, und abends erst wieder zurückkam. Mitunter waren das schon mal Ausnahmezustände. Das neue an der Sache war, dass jemand dahinter stand und die Sache mittragen half. Außerdem kam Johanna jetzt auch öfter mal zu mir, und mit den Hochzeitsvorbereitungen hielt sie mir den Rücken frei. So ist mit der Zeit zunächst die Beziehung gewachsen, und jetzt entstand in Teamwork unsere gemeinsame Wohnung.

Es ist gut, dass man sich manche Dinge im Leben erarbeiten muss, und man dabei wie auf einer langen Straße unterwegs ist. Auf den langen, einsamen Autofahrten in frühen Morgen- und späten Abendstunden hatte ich viel Zeit zum Nachdenken. So habe ich einiges aus meinem Leben noch mal Revue passieren lassen, und ich stellte des Öfteren erstaunt fest, dass manches nun einen ganz anderen, übergeordneten Sinn hatte. Es war auch eine gute Gelegenheit, die Erlebnisse eines Wochenendes in Stuttgart noch mal in Gedanken nachzuempfinden. Einige Male hatte ich dabei Tränen in Augen, konnte ich nun erleben, wie Gott mir Fragmente meines Lebens, die ich bisher achtlos weggeworfen habe, rekonstruiert und geordnet wieder vor die Nase setzte. Alte Wunden heilten, Selbstvertrauen wuchs. Das machte sich in vielem bemerkbar, selbst im Beruf.
Auch das Kennenlernen von Johannas Familie, ihren Freunden und der zahlreichen Verwandten war überhaupt kein Problem. Alle haben mich akzeptiert. Die Schwaben stellten erstaunt fest, dass man im hessischen „Hinterland“ in der

Mitte Deutschlands ähnliche Eigenschaften pflegt, die ansonsten den Schwaben zugeordnet wurden.

Ein vorläufiger Höhepunkt war dann unsere Heirat in der ersten Oktoberwoche 2001.
Man hat es nicht in der Hand, dass so ein Fest harmonisch verläuft. Es war schön, dass trotz unterschiedlicher Verwandtschaft eine positive Atmosphäre herrschte.
Unser Trauspruch lautete: „Von allen Seiten umgibst du mich und hältst deine Hand über mir.“ (Psalm 139,5).

Nach so einer „frommen“ Hochzeit, auf die dann noch ein Umzug folgte, ist es nicht verwunderlich, dass man erst mal in ein Loch fällt: Johanna stand erst mal ohne Arbeit und ihren „alten“ Bekanntenkreis in einer neuen Umgebung da. So eine Zeit ist mit vielen Anfechtungen verbunden. Doch wir hatten Bekannte und Freunde, bei denen wir Rat holen konnten.

Nach der Hochzeit lernten wir uns viel besser kennen. Das ist schön, kostet aber auch viel Kraft und Nerven. Die Tatsache ist: Jetzt geht es erst richtig los mit dem Life-Workshop. Jetzt ist die Zeit, wo der Hochzeitstrubel vorbei ist und man sich allein zurechtfinden muss, eigentlich aber Betreuung und Hilfestellung bräuchte. Stattdessen wird man mit der Erwartungshaltung von Gemeinde und Verwandtschaft konfrontiert, und es kann schon passieren, dass man gleich nach der Hochzeit „auf die Schnauze fällt“, weil Probleme auftauchen, mit denen man nicht gerechnet hat.

Noch ein paar Tipps zum Kennenlernen/Partnerwahl:

- Seid nicht zu wählerisch und festgelegt, was Aussehen und Entfernung zum Partner betrifft. Seid aber wählerisch im Hinblick auf Dinge, auf die ihr in geistlicher und persönlicher Hinsicht nicht verzichten **könnt.** Es ist gut, wenn Übereinstimmung bezüglich gemeindlicher Prägung und familiärer Herkunft herrscht.

• Notwendig aber manchmal schwer: Sich Zeit lassen trotz Torschlusspanik! Vielleicht ist es für das Kennenlernen über den cpd besser, längere Zeit per Tel. und/oder Brief zu verkehren, bis positive Weichen für die Beziehung gestellt sind, und sich danach erst persönlich zu treffen.

• Wichtige Voraussetzung für die Ehe: positives Gestalten des Alleinseins. Nicht nur als Single, sondern auch in der Ehe ist man oft allein (betrifft vor allem die Frauen). Deshalb ist es gut, sich nicht wie eine Klette an den Partner zu hängen, sondern sich für Zeiten des Alleinseins Ziele zu setzen, wie beispielsweise Kontakte pflegen, Erledigung von wichtigen Dingen, Hobbies,…

Es sind nun fast 8 Jahre her…

Schulanfang im Sommer 2009

…seit wir obige Zeilen geschrieben haben. Es ist nicht selbstverständlich, dass wir uns noch immer lieben. In der Zeit, in der wir verheiratet sind, wurden wir oft an die Grenzen unserer körperlichen und seelischen Belastbarkeit geführt.

Am 30.12.2002 wurden unsere Zwillinge Jonas und Philipp geboren. Dieses freudige Ereignis teilten wir u. a. auch mit unserer Mutter/Schwiegermutter, die das Untergeschoss unseres Hauses bewohnte. Kurz vor dem 2. Geburtstag der Kinder bekam sie einen Schlaganfall, seitdem lebt sie im Pflegeheim.

Späte Liebe ist schön, doch man muss sich auch im Klaren sein, dass mit der Erziehung von Kleinkindern oft schon die Pflege der Eltern zusammenfällt. Ohne die Unterstützung der Eltern ist es schon ein harter Weg. Positiv daran ist, dass man voll und ganz abhängig von Gott ist.

Was ich (Johanna) im Rückblick anders machen würde: Ich würde vor der Hochzeit ein Eheseminar besuchen, oder noch besser: Ich würde mir einen Mentor / eine Mentorin suchen, die von Partnerschaft und Ehe eine Ahnung hat, mir praktische und seelsorgliche Tipps geben kann und mich durchs Leben begleitet. Leider gibt's solche Leute nicht wie Sand am Meer....

Manches Problem muss man auch alleine mit Gott durchstehen und man weiß erst hinterher: „Gott hat mich, Gott hat uns wunderbar hindurchgeführt!"

Stefan und Johanna Grebe
(Maurerpolier und Hausfrau)
aus 35236 Breidenbach-Oberdieten

Kapitel 7

Lieben will gelernt sein

„Als mir meine Frau diese Sache erläutern wollte, griff ich mir ans Hirn – und ich merkte, dass ich ins Leere griff…“ äußerte sich, verschmitzt schmunzelnd, unser Bekannter Matthias, der gerade die Feier seiner Silbernen Hochzeit plante. Seiner Frau, die lächelnd neben ihm stand, blinzelte er zu und fuhr fort: „Jedenfalls begriff ich, dass ich auch nach vielen Ehe-Jahren im Lieben-Lern-Prozess nicht aufhören darf, weiter zu erforschen, Interesse zu investieren und vor allem: dass ich noch sooooo viele Dinge nicht weiß.“

Ihm war plötzlich sonnenklar, was die Aussage bedeutet: Wer aufhört, ein Lernender zu sein, hört auf, ein Liebender zu sein.

Erfüllende Liebe kommt nicht von alleine. Es ist ein Lernprozess, eine „Arbeit“, die sehr viel Spaß und Freude macht – Freude vor allem beim Genießen der „guten Früchte“, die aus dem Lieben-Lernen geboren werden.

Für konstruktive Beziehungspflege gibt es Prinzipien, die für jegliche Art von zwischenmenschlichen Beziehungen gelten. Genauso gibt es destruktive Prinzipien, die jede Beziehung belasten, ob es sich um Partnerschaft, Freundschaft, Elternschaft, ja sogar um die persönliche Beziehung zu Gott handelt.

Diese destruktiven „Beziehungskiller“ siedeln sich im Schattenreich echter Liebe an. Sie entpuppen sich sozusagen als Gegensatz zur effektiven Liebe. Sie geben sich nicht einfach als ein Gefühl zu erkennen, sondern durch ihre Wurzel.

Eine Frau schrieb mir: „Irgendwie scheint es für meine Eltern das Nonplusultra gewesen zu sein, jeden einigermaßen sonnigen Sonntagnachmittag durch unser kleines Dorf zu spazieren, bzw. mehr stehen als gehen, denn jeder Bekannte wurde mit einem „Schwätzchen“ bedacht.
Der neueste Informations-Stand war ja so wichtig: Frau Müller hatte nun ihre Gallensteine herausoperiert bekommen, Herr Meier hat Probleme mit seinem Hüftgelenk und Frau Schmidt einen viel zu hohen Zucker. Das alles wäre gar nicht so schlimm gewesen, wenn nicht die gesamte Familie – und da gehörte nun mal auch ich dazu – sich diesem sonntäglichen Spazier- und Geschwätz-Ritual zu unterziehen hatte. Sogar als ich bereits 16 Jahre alt war, musste ich mit gehen, mit stehen, mit hören, einen interessierten Gesichtsausdruck zur Schau tragen, obwohl mich die unzähligen Krankheitsgeschichten und das oberflächliche Gequatsche überhaupt nicht interessierte.
Im Gegenteil: Mich nervte das kolossal! Selbst als ich während meiner Ausbildung nicht mehr Zuhause wohnte und meine Eltern am Wochenende besuchte, halfen alle Erklärungen nichts. Ich sollte am Spaziergangs-Ritual teilnehmen.
Ich konnte mich aber nicht mehr dazu überwinden und kam daher nur noch selten am Wochenende heim.
Die Beziehung zu meinen Eltern schlief dann mehr oder weniger ein.“

Fehlbefriedigung und Zwangsbeglückung sind wahre Beziehungskiller und werden auch dann als Lieblosigkeit empfunden, wenn der andere es „gut gemeint hat“.
Ihre Wurzeln sind:

a) die *eigene* Motivation – („ich hab´s ja nur gut gemeint“)
b) die *eigene* Bedürftigkeit – („ich brauch dich unbedingt!“)
c) die *eigenen* Vorlieben– („du darfst mit mir mein Hobby teilen – auch wenn´s dich eigentlich gar nicht interessiert“)

Wenn also ein Mann zu seiner Frau sagt: „Liebling, du brauchst heute das Geschirr nicht abzuwaschen – lass es steh´n bis morgen!“ dann wird dies mit Sicherheit als „Fehlbefriedigung“ aufgefasst und nicht als Liebe...

Wenden wir uns dem Lieben-Lern-Prozess zu. Dabei müssen wir uns zuerst fragen, was „Lieben“ überhaupt bedeutet. In Anlehnung an Phil. 2,4 definieren wir „Lieben“ wie folgt:

Lieben heißt, die wahren Bedürfnisse erforschen und zu stillen suchen!

Die Betonung liegt auf den **wahren** Bedürfnissen. Nicht auf irgendwelchen oberflächlichen oder fehlgeleiteten Wünschen, Launen oder gar Süchten.

Hier wird u.a. klar, dass sich die wahren Bedürfnisse des andern als Grundprinzip sehr verallgemeinern lassen: Das Bedürfnis, angenommen zu sein, so wie man ist; das Bedürfnis bedingungslos geliebt zu werden; das Bedürfnis nach Wertschätzung, Geborgenheit und Vertrautheit. Doch all diese wahren Grundbedürfnisse kommen beim Einzelnen sehr facettenreich und sehr verschiedenartig zur Geltung. Daher gilt es, diese jeweils individuell zu erforschen.

Schon vom Gesinnungsansatz her finden wir deshalb beim Kennenlernen von zwei partnersuchenden Menschen große Unterschiede, je nach dem, welcher Grundgedanke dominiert:
„Wie kann mich der andere glücklich machen? Kann mir der andere geben, was ich mir wünsche?“ (Egal ob es fehlgeleitet oder oberflächlich ist.)
Oder: „Wie kann ich den andern fördern und erbauen? Wie kann ich ihn ermutigen, so dass er tatsächlich motiviert wird? Was sind seine wirklichen, wahren Bedürfnisse?“ (Nicht eventuelle oberflächliche, fehlgeleitete Wünsche!)

Wahres Lieben und „Zwangsbeglücken“ passen nicht zusammen. Gerade Kinder wissen oft selbst nicht um ihre wahren Bedürfnisse, sondern sehnen sich nach der Erfüllung oberflächlicher Wünsche. Oder meinen wir, jener Vater, der jeden Abend den Wunsch seines Sohnes erfüllt und mit ihm zusammen das Fernsehprogramm anschaut, bis er zu Bett geht, hätte die wahren Bedürfnisse seines Sohnes erfüllt?!

Ein Humorist karikierte dieses Verhalten, indem er erzählte: Bei einem ständig fernsehschauenden Vater ging eines Abends das geliebte Gerät plötzlich kaputt. Daraufhin schaltete er das Licht an, sah seinen Sohn und sagte: „Wow! Junge, bis du aber gewachsen!“...

Wenn wir echt lieben wollen, müssen wir die wahren Bedürfnisse des andern treffen. Und wenn wir diese nicht genau kennen, sollten wir sie erforschen.

Beim praktischen Lieben in zwischenmenschlichen Beziehungen kann man also nicht jede Situation über einen Kamm scheren. Deshalb ist und bleibt das Erforschen der wahren Bedürfnisse, das Suchen nach dem Besten für den anderen oberste Priorität. Für alle Beziehungen gilt: Wer nicht erforscht, liebt nicht.

Im 1. Kapitel des Philipperbriefes bittet der Apostel Paulus darum, dass die Liebe der Christen aus Philippi zunehmen möge an „Erkenntnis und allem Empfindungsvermögen“ (oder auch in moderner Übersetzung „...und Feingefühl“).

Hier trifft Paulus den Nagel auf den Kopf: Liebe kann nur dann wirksam und fruchtbringend werden, wenn sie lernt (oder lernen will) die tatsächlichen Bedürfnisse immer besser zu erkennen und mit Feingefühl darauf zu reagieren. Empfindungslose Leute sind lieblose Leute. Erkennen und Empfindungsvermögen sind das beste Mittel gegen Beziehungskiller.

Wagen wir mutig neue Schritte in diese Richtung und seien wir uns bewusst, dass unser großer, mächtiger Gott uns tatkräftig auf diesem Weg zur Seite steht!

Zahlreiche praktische Anregungen, Beispiele und die Anleitung, wie man die wahren Bedürfnisse des andern konkret erforschen lernen kann, finden Sie im Buch:
„Lieben will gelernt sein“
(vgl. vorletzte Seite in diesem Buch).

Wir hatten bereits beide das Gefühl, uns ewig zu kennen

Wir sind Gott sehr dankbar, dass wir uns vor drei Jahren kennen und lieben gelernt haben. Interessanterweise nahmen wir beide den cpd auch deshalb zur Hilfe, weil wir eher ruhige Typen sind und von uns aus wahrscheinlich nie Kontakt zum anderen Geschlecht aufgenommen hätten. So hatten wir durch den cpd die Möglichkeit, uns über Briefe und E-Mails erst einmal näher kennen zu lernen, ehe wir ein Treffen vereinbarten. Als dieses dann stattfand, hatten wir bereits beide das Gefühl uns ewig zu kennen.

Als Trauvers wählten wir: *„Kinder, lasst uns nicht lieben mit Worten, noch mit der Zunge, sondern in Tat und Wahrheit.“ (1. Joh.3,18)*

Das ist das, was wir immer wieder im Ehealltag versuchen umzusetzen.

Als gute Hilfe für auftauchende Fragen und Probleme hat sich für uns außerdem der regelmäßige Besuch von Team-F-Seminaren erwiesen. Dort erhalten wir immer wieder gute, gewinnbringende Impulse um in unsere Ehe zu investieren.

Thomas und Nicole Schmidt (Datenverarbeitungskaufmann und Grundschullehrerin) aus 14776 Brandenburg

Sich finden: ein Glück; sich behalten: eine Arbeit

Ute und Detlef Horch sandten dem cpd vor 10 Jahren dieses Hochzeitsfoto mit der Bemerkung: „Wir sind dem gesegneten Dienst des cpd sehr dankbar."

Nun berichten sie: „Unglaublich! Nun ist es schon zehn Jahre her, seitdem wir uns über den cpd kennengelernt haben. 2001 haben wir geheiratet und inzwischen haben wir zwei Kinder. Die Jüngere von beiden war mit drei Jahren sehr schwer erkrankt. Über zwei Jahre waren Ute oder Detlef mit ihr im Krankenhaus und somit auch sehr oft getrennt vom Partner und dem älteren Kind. Dieses Jahr feierten wir seit langem wieder Weihnachten zusammen.

Unsere Partnerschaft hat, entgegen der Prognose, dass 80 % aller Ehen geschieden werden, in dieser harten Krise gehalten. Wir hatten und haben sehr viele Menschen, die für uns gebetet haben bzw. auch jetzt noch für uns beten und wir empfinden es als einen großen Schatz, wenn auch junge Paare jemanden haben, der für sie betet.

Auch hat uns dies in letzter Zeit Gott näher gebracht. Er ist es, der alles trägt und hält. Es ist wichtig, den Blick immer wieder auf ihn zu richten, der ja der feste Grund unseres Lebens und somit lebensnotwendig ist.

Wir wünschen allen Paaren, die sich trauen „Ja“ zu sagen, dass sie auch in Krisenzeiten danach schauen, was sie tun müssen, damit ihre Ehe gelingt.
Sich finden: ein Glück; sich behalten: eine Arbeit.“

Detlef und Ute Horch (Softwareentwickler und Kinderpflegerin) aus 35690 Dillenburg

Wir haben gelernt, auch in schwierigen Zeiten die Kommunikation aufrecht zu erhalten

Wir sind seit über 12 Jahren glücklich verheiratet, auch wenn wir verschiedene Schicksalsschläge erleiden mussten.
Während dieser Zeit erlebten wir oft das wundervolle Eingreifen Gottes.
Einen christlichen Partner zu heiraten, ist nicht gleichzeitig ein Freifahrtsschein für eine glückliche und zufriedene Ehe, aber eine wichtige Basis sowie auch gegenseitiges Vertrauen.

Miteinander reden und in Kontakt bleiben fällt jedem leicht, wenn alles in Ordnung ist. Wir haben gelernt, auch in schwierigen Zeiten die Kommunikation aufrecht zu erhalten. Gott war und ist uns ein stetiger Begleiter.

Ulrike und Eugen Sauter (Landwirt und Stationsschwester) aus 88099 Neukirch

Einander Freiheiten lassen!

Wir haben Dank Ihrer Hilfe zueinander gefunden und sind nun schon 15 Jahre verheiratet.

Unser Tipp für – nicht nur – junge Paare:
Einander Freiheiten lassen!

Den Partner nicht ändern wollen, ist uns ganz wichtig geworden, ihn so anzunehmen wie er/sie ist und nicht meinen, man müssen den anderen ändern.

Ändern können wir uns nur selbst.

Martin und Käthi Isler-Siegenthaler aus 8184 Bachenbülach / Schweiz

Wichtig ist uns Kommunikation, gemeinsamer Glaube an Jesus Christus und uns gegenseitig vergeben können

Nun sind schon 15 Ehejahre vergangen und wir sind Gott immer wieder neu für unsere/n Partner/in dankbar.

Wichtig ist uns immer die Kommunikation miteinander, unser gemeinsamer Glaube an Jesus Christus sowie dem Anderen vergeben zu können.
Unser Hobby, die Fotografie, bereitet uns viel Freude.

Frank und Ines Speckmann (Kaufm. Angestellter und Hausfrau) aus 26123 Oldenburg

mit Tochter Elisa-Marie

Den Partner nicht als selbstverständlich, sondern als Geschenk Gottes betrachten

Als unsere Briefe immer offener wurden, wurden wir neugierig auf einander. Nach stundenlangen Telefonaten haben wir uns Anfang Februar das erste Mal getroffen, was wirklich ein Volltreffer war! Knapp über 10 Wochen später verlobten wir uns dann überglücklich!

Ich (Annegret) hatte die Hoffnung schon fast aufgegeben, den richtigen Mann zu finden. Deshalb möchte ich andere ermutigen, nicht aufzugeben.

Wir beide empfinden uns als großes Geschenk, da wir ähnliche Ansichten und Eigenschaften haben und bereit sind, uns durch unsere Unterschiede zu ergänzen.

Nach über 3 Jahren Ehe sind wir immer noch sehr verliebt und freuen uns aneinander. Natürlich gab und gibt es auch schwere Zeiten, u. a. wegen meiner chronischen Krankheit, mit neuen Herausforderungen und Kompromissen im Alltag. Dadurch sind wir aber enger zusammengewachsen und sehr glücklich, dass wir uns durch den cpd gefunden haben.

Ich bin Gott sehr dankbar, einen so verständnisvollen Mann zu haben, mit dem man durch Dick und Dünn gehen kann.

Hier noch einige Tipps für junge Paare, die uns selbst schon sehr geholfen haben:
Den Partner nicht als selbstverständlich, sondern als Geschenk Gottes betrachten.

Praktisch sieht das so aus:

- den Alltag mit Überraschungen oder kleinen Geschenken versüßen
- sich gegenseitig Komplimente machen (auch schriftlich)
- die positiven Seiten des Partners nicht übersehen
- Ärger über einander offen aussprechen und nicht schlucken
- körperliche Nähe wie Kuscheln tut der Ehe gut
- zusammen beten, die Beziehung zu Gott pflegen

Stefan und Annegret R. (landw.-techn. Assistent und Augenoptikerin) aus dem Dreiländereck

Kaum zu glauben, was acht kleine Hände „schaffen" können!

Wir wollen uns nochmals bei Ihnen allen recht herzlich bedanken für all Ihre Mühe für so wenig Geld!

Wir wissen Ihre Arbeit zu schätzen. Stefan und ich (Jaqueline) sind sehr glücklich verheiratet... Am 8. März ist Deborah geboren worden. Sie ist wirklich ein Sonnenschein…

11 Jahre später…

Als Ehepaar besuchen wir gerade den Kurs „PEP für Teens". Unsere älteste Tochter Deborah ist ja schon ein Teeny (11 Jahre). Sie ist rundum ein ganz tolles Mädchen und kommt auch in der christlichen Schule Hochrhein sehr gut zurecht.

Unser Sohn Joel (9 Jahre) fordert uns da schon mehr – er mag es gern lustig und cool und ist noch sehr verspielt.

Lady Salome ist sechs Jahre alt. Sie ist voller Eifer in der ersten Klasse. Tabea ist drei Jahre jung. Es ist so herzig, wie stolz sie auf ihre schönen langen Haare ist – typisch Mädchen. Besonders sprachlich macht sie zur Zeit große Schritte.

Wir sind gesegnet mit diesen vier Schätzen und gefordert: Kaum zu glauben, was acht kleine Hände „schaffen" können!

Momentan ist es eine turbulent Zeit: Familie, Geschäft (Bäckerei, Mama hilft mit), Mitarbeit in der christlichen Ortsgemeinde, Haus und Garten, Hobbys, die gepflegt werden wollen.

Mit Gottes Hilfe bewältigen wir den Alltag.

Tipps für junge Paare:

- Genießt die Zeit zu zweit!
- Wartet bis zur Ehe!
- Macht Flitterwochen! Ihr werdet davon zehren, wenn die Unruhe durch Kinder da ist.
- Sucht euch eine „lebendige Christengemeinde".
- Investiert euch verbindlich darin.
- Lebt in einer Liebesbeziehung zu Jesus Christus – er ist die Quelle des Lebens für eure Ehe, Kinder, für den Alltag

Stefan und Jaqueline Schlegel
(Bäckermeister und Bäckerei-Verkäuferin)
aus 79737 Herrischried

Kapitel 8

Die Geschichte des cpd

Der Startschuss für den cpd fiel 1985. Für Interessenten war die Teilnahme damals völlig kostenlos, weil zuerst ein gewisser Stamm von einigen Hundert Partnersuchenden vorhanden sein musste, bevor sich praktischer Erfolg in der Vermittlung einstellen konnte.

Das erste cpd-Ehepaar war eine Schweizerin aus Zürich und ein Deutscher aus Bremen. Für uns zuerst unglaublich, dass dies über solch eine Entfernung möglich war. Jahre danach erzählte mir die Schweizerin, dass sie sich mit ihrem Töchterchen (sie war alleinerziehend gewesen) sehr gut in Norddeutschland eingelebt hätte. Besser und reibungsloser – auch für ihr Kind – als sie es sich hat vorstellen können.

Der praktische Erfolg dieses zielgerichteten Dienstes war mit der Zeit derart groß geworden, dass es weiterer Mitarbeiter bedurfte, um die Vermittlungsarbeit zu bewältigen. Auch der zweite Dienstleistungsbereich – Seminare, Seelsorge und Persönlichkeitsförderung – vergrößerte sich ständig.

Die ersten Medien zeigten Interesse für den cpd. Eine besondere Ermutigung war die positive Berichterstattung, zum Beispiel durch „Radio M.", Stuttgart (Rundfunksendung der EMK), in den Sendungen „Partnerwahl – um Gottes Willen" von „Radio Horeb", „Radio Maria" und „Radio Neues Europa" oder dem ORB, der in seiner Fernsehsendung „Zwischen Himmel und Erde" eine überaus positive Beurteilung über den cpd und dessen eindrückliche Erfolge ausstrahlte.
Bemerkenswerte Fernsehsendungen in „Alpha & Omega" des BTV oder dem österreichischen K-TV ließen den christlichen

Partnerschafts-Dienst bei vielen Interessenten sehr lebendig werden.

Großes Echo wurde auch durch den ERF (Evangeliumsrundfunk) hervorgerufen, sowie durch die Fernsehsendung „Fenster zum Sonntag", die in der Schweiz ausgestrahlt wurde.
Bis heute staunen und freuen wir uns immer wieder über unerwartete Empfehlungen in den Medien oder durch verschiedene Autoren.

Doch wo Segen ist, da sind auch Angriffe nicht weit. Neuentstandene unseriöse „christliche" Partnervermittlungen entstanden und versuchten, den cpd zu schädigen. Außerdem wurde die Leitung des cpd von „Neidern" durch schwere Verleumdungen attackiert.

Trotz allem stand Gott dem cpd in überwältigender Weise bei – ließ sogar die Unwahrheit von Verleumdungen offenbar werden (ohne dass die betroffene cpd-Leitung juristische Schritte unternommen hatte!)

1998 wurde die Zentrale des cpd von der Schweiz nach Deutschland verlegt. Dadurch konnten die Vermittlungen im gesamten deutschsprachigen Raum (Deutschland, Schweiz, Österreich) und für Deutschsprachige im Ausland noch besser koordiniert werden.

2000 schlossen sich die größte österreichische christliche Partnervermittlung „Unitate" und die schweizerische christliche PV „Vanessa" dem cpd an, um ihren Teilnehmern besser und günstiger dienen zu können.

In dieser Zeit bekam der cpd seine ersten Regionalberater, die vor Ort unterstützend bei Information und Anmeldung helfen, nicht aber vermitteln. Die Zahl nahm ständig zu, so dass sie bald in vielen Städten (von Hamburg bis Wien, von Berlin bis

Düsseldorf, von München bis Basel und von Zürich bis Graz) zu finden waren.

2002 erhielt die „cpd-Partnervermittlung“ vom (nichtchristlichen!) Bundesverband die Auszeichnung, die „erfolgreichste europäische rein christliche Partnervermittlung“ zu sein. Und genau das ist auch nach wie vor unsere größte Motivation: der praktische Erfolg! Die Ehre dafür gebührt allein unserem liebenden himmlischen Vater, der seine Kinder gerne beschenkt. Wir möchten weiterhin Mitarbeiter seines Wirkens sein.

Aufgrund der hohen Nachfrage nach unseren Seminaren wurde die Anzahl nochmals erhöht. Die Themeninhalte, der meisten Seminare wurden dann von der (damals neu gegründeten) „Arbeitsgemeinschaft seelsorglicher Berater“ (AsB) zur Seelsorge-Grundausbildung verwendet, weil in diesen cpd-Seminaren in außergewöhnlicher Weise ein ganzheitlicher, biblisch fundierter Ansatz verfolgt wird. Heute besteht eine reibungslose Zusammenarbeit zwischen den cpd-Seminaren und der AsB, bei der vor kurzem Walter Nitsche die Leitung der Seelsorge-Grundausbildung übernahm.

2003 erschien die erste Ausgabe der Zeitschrift „friends for life“ (mehr dazu im Kapitel 5).

2005 kam per Internet „cpd-International“ dazu. (Auch darüber mehr Informationen im 5. Kapitel.)

Im Rückblick können wir nur staunen über die Geschichte des cpd, die wir vor allem als eine Geschichte sehen, die Gott selbst geschrieben hat und die Er auch weiter schreiben möchte…

Eine dreifache Schnur reißt nicht…

Wir können dankbar feststellen, dass wir jetzt **bereits 15 Jahre einen gemeinsamen Lebensweg** gehen dürfen. Der Start dazu gelang damals durch die Vermittlung des cpd.

In unserem Hochzeitsjahr heirateten nicht nur wir, sondern auch die drei Töchter von Wolfgang.

Deshalb nennen wir 1995 das „Pfingstjahr“. Inzwischen erfreuen wir uns an fünf munteren Enkelkindern.

Wir haben – wie wohl alle Ehepaare – manches Auf und Ab erlebt. Nach der Hochzeit haben wir zunächst das alte Haus, in dem wir heute noch wohnen, renoviert.

Danach unternahmen wir eine unvergessliche Reise nach Norwegen. Seit 1999 sind wir bei den Gideons. 2001 hat Wolfgang eine über 10-stündige Operation an der Aorta überstanden. Stark gebremst in allen Aktivitäten werden wir beide vor allem durch Rückenschmerzen infolge von Verschleißerscheinungen.

Aber wir sind sehr dankbar dafür, dass wir die Tage noch selbstständig meistern können.

Tipps für junge Paare:
Haltet fest an der gemeinsamem stillen Zeit mit dem Herrn. Konflikte sind zwar unvermeidbar, aber das Bewusstsein, dem gleichen Herrn anzugehören, führt wieder zusammen – eine dreifache Schnur reißt nicht.

Wolfgang und Dorothea Pfingst (ehemaliger Automobilverkäufer und ehemalige Leiterin des soz. Dienstes in einem Altersheim) aus 35708 Haiger

Als Bolivianerin waren für mich enorme bürokratische Hürden zu überwinden

Am 24.10.2009 haben wir, Claus van Heiden und Mónica Salinas geheiratet. Was wir am Anfang unseres Kennenlernens, am 6.12.2008 für fast unmöglich gehalten haben, hat unser Herr und Heiland möglich gemacht.

Als Bolivianerin waren für mich, Mónica, enorme bürokratische Hürden zu überwinden.

Eine Ledigkeitsbescheinigung und eine neue Geburtsurkunde, so in der Art, wie das Standesamt in Wiesbaden es wollte, haben über 7 Monate in Anspruch genommen.

Ein bolivianischer Rechtsanwalt sollte für uns die ganzen Formalitäten in Bolivien regeln, da meine Mutter dort leider vor ca. einem Jahr gestorben war. Es hat eine Menge Geld, Zeit und Nerven gekostet, bis die Papiere endlich in Deutschland waren. Als sie beim Standesamt vorgelegt wurden, wollte der Sachbearbeiter vom Oberlandesgericht die Papiere nicht akzeptieren, weil die Bearbeitungsfrist angeblich vorher abgelaufen war. Von solchen Fristen hatte uns vorher niemand etwas gesagt.

Dazu kamen noch die Einwände, Ängste und Unwilligkeit meiner 14-jährigen Tochter, die sich von Anfang an gegen Claus gestellt hatte. Es war genug Grund zum Verzweifeln vorhanden, aber auch zum intensiven Beten. Wir wussten, dass Gott einen sehr guten Plan mit uns beiden hat. Aus tiefem Glauben heraus legten wir den Hochzeitstermin für den 24.10.2009 fest, und ließen den Standesamttermin mit Bleistift vormerken. Die Leute vom Standesamt warnten uns und sagten: Ohne Zustimmung des Richters vom Oberlandesgericht dürfen wir nicht heiraten.

Wir ließen uns nicht einschüchtern und kämpften und hofften weiter. Wir fingen mit der ganzen Hochzeitsvorbereitung und Hochzeitsplanung an. Dadurch, dass Claus ständig mit den Leuten vom Standesamt von München aus nach Wiesbaden telefoniert hatte, wurde ein Begleitschreiben für den Richter angefertigt, der seine Zustimmung zur Folge hatte. Er hat uns aber trotzdem fünf Wochen auf seine Antwort warten lassen. So kam der festgelegte Termin für die Hochzeit immer näher und näher. Spannung pur bis zuletzt!

Nun ist der erste Schritt mit Gottes Hilfe geschafft. Wir durften einen sehr schönen und reich besuchten Traugottesdienst erleben mit drei Pastoren und Gästen aus verschiedenen Gemeinden, was viel Emotionen und Zeugniskraft zur Folge hatte.

Ende März 2010 bin ich (Monica) nach München zu meinem Mann gezogen. Ich musste mich von vielen Sachen trennen, sogar von meiner geliebten Tochter. Sie wollte meinen Mann nicht akzeptieren und auf gar keinen Fall in eine neue Schule und Umgebung wechseln. Deshalb ist sie aus eigenem, ausdrücklichem Wunsch lieber in ein Heim gegangen, als mit mir, was mir natürlich das Herz gebrochen hat.

Trotz aller Schwierigkeiten, die ich durch die Entfernung zu meiner Tochter zu regeln habe, bin ich mir sicher, dass mein Mann Gottes guter Plan für mein Leben ist. Wir können uns so toll ergänzen und sind sehr in Jesus verbunden, getröstet und getragen. Wir vertrauen weiterhin auf den Herrn. Er weiß am besten, warum er das alles zugelassen hat. Durch die verschiedenen Probleme sind wir als Paar stärker geworden. Wir beten viel für meine Tochter. Zu meinem Geburtstag, Mitte April, habe ich ihr gesagt, dass es das schönste Geschenk für mich wäre, wenn sie mich an diesem Tag besuchen kommt. Sie kommt uns nun zum ersten Mal besuchen. Ist Gott nicht wunderbar?

Wir sind dem cpd sehr dankbar dafür, dass sie uns miteinander bekannt gemacht haben. Ohne Ihre Mut machenden Worte hätte ich mich als allein erziehende Mutter nicht getraut, diesen Schritt zu gehen.

Wir schreiben diesen Brief, weil wir dadurch auch andere Geschwister dahingehend ermutigen wollen, dran zu bleiben und fest daran zu glauben, auch in schweren Zeiten. Der Herr hat uns gebraucht, damit wir in verschiedenen Gemeinden und für verschiedene ledige Geschwister ein Zeugnis der Hoffnung geben konnten.

Dank an den Herrn und Dank an euch. Der Herr sei mit euch uns segne Eure Arbeit weiter. Wir haben zahlreichen Leuten von eurer Arbeit erzählt.

Claus und Mónica van Heiden
(Obermonteur/Meister für Gas und Wasser aus München und gelernte Journalistin, z.Zt. Hausfau aus Wiesbaden)

Raus aus der Familie und der Arbeit – nur wir zwei…

Wir denken immer wieder dankbar daran zurück, dass wir uns durch den cpd kennen lernen durften.
Inzwischen sind wir **bereits 14 Jahre glücklich verheiratet.**
Unsere Kinder sind schon 10 und 12 Jahre alt.

Wir haben viel miteinander erlebt, auch gelegentlich gekämpft, gemeinsam erarbeitet und uns zusammen gefreut.

Ganz wichtig waren uns aber auch in dem Miteinader doch immer wieder die kleinen Auszeiten, die wir uns zu zweit genommen haben: Raus aus der Familie und der Arbeit – nur wir zwei…

Reinhard und Martina Lalla (Landwirt und Hebamme) aus 38173 Sickte

Ich habe mich im schönen Schwerin gut eingelebt und viele neue Leute kennen gelernt

In diesem Jahr feiern wir unseren 6. Hochzeitstag.

Aus diesem Anlass möchten wir Ihnen einfach einen kleinen Gruß senden.

Wir sind immer wieder dankbar, dass wir uns mit Gottes und Ihrer Hilfe kennen gelernt haben und wirklich glücklich verheiratet sind – selbst wenn's natürlich auch bei uns mal Streit gibt.

Aber wir verstehen uns einfach sehr gut und passen wunderbar zusammen...

Ich habe mich im schönen Schwerin gut eingelebt und viele neue Leute kennen gelernt. Alte, gute Freundschaften in der Heimat sind erhalten geblieben, so dass ich sehr bereichert wurde.
Seit drei Jahren arbeiten wir auch beide in Schwerin und ich muss nicht mehr weit fahren.
Wir besuchen die Landeskirchliche Gemeinschaft, kennen aber auch viele Christen aus anderen Gemeinden. Gäste finden sich auch immer wieder bei uns ein. Besonders im vergangenen Jahr, wo hier die Bundesgartenschau stattfand. Langweilig wird's also kaum.

Für Ihre Arbeit und im persönlichen Leben wünschen wir Ihnen weiterhin Gottes Segen, viel Freude und Erfolg.
Herzliche Grüße aus dem hohen Norden

Wieland und Judith Beer (Dipl. Fachpädagoge für Gesang und Pharmazeutisch-techn. Assistentin) aus 19055 Schwerin

Verständnis, Vergebungsbereitschaft und Aufeinander zugehen…

Mittlerweile sind wir 14 Jahre verheiratet.

Der cpd ist eine gute Sache!

Soll eine Ehe gelingen, braucht es Verständnis, Vergebungsbereitschaft und immer wieder ein Aufeinanderzugehen.

Roland und Dorothea Kocher (Sachbearbeiter für Qualitätstechnik und Telefonistin) aus 2540 Grenchen / Schweiz

Wer den anderen annimmt, wie er ist, und ihn nicht zu verändern versucht, erreicht sehr viel

Im Alter von 35 beschloss ich, mein Liebesglück übers Internet zu finden. Nach einigen Kontakten auf zwei Websites und glücklosen Rendezvous mit vier Frauen entdeckte ich in einer Zeitung die Internet-Adresse vom cpd. Und nun ging's schnell.

Sobald der Fragebogen ausgewertet und die Anmeldegebühr bezahlt war, erhielt ich drei Frauen vorgeschlagen. Eine lehnte ich aus geografischen Gründen ab, denn sie wohnte in Russland. Bald darauf bekam ich Namen und Adressen der anderen beiden. Die zweite antworte nach zwei Wochen formhalber, denn es war eine Ablehnung, doch die erste schickte mir gleich ein E-Mail, das viel versprechend war.

Nach vielen weitern E-Mails und ein paar Telefonaten mit Birgit beschlossen wir, uns an einem Wochenende in Wien zu treffen. Dort hat es schon am ersten Abend gefunkt.

Am Tag danach gingen wir händchenhaltend durch die Fußgängerzonen und plauderten vergnügt in Cafés. Vor dem schweren Abschied am Bahnhof vereinbarte ich mit Birgit, dass ich sie in drei Wochen in ihrem Heimatort besuchen komme. Zwar lagen unsere Wohnorte 700 km entfernt, doch mit einer Bahnfahrt über Nacht im Liegewagen erscheint die Distanz deutlich kürzer.

Abermals zwei Wochen später war Birgit auf Fortbildung in München. Was lag näher, als ihr am folgenden Wochenende einen Gegenbesuch abzustatten, da München nur drei Zugstunden von meinem Heimatort entfernt liegt. Bei dieser Gelegenheit stellte ich meine Liebe auch meinen Eltern vor, wobei in mir ein komisches Gefühl wach wurde.

Ein paar Wochen später waren wir bei ihren Eltern eingeladen, da ihr Neffe seinen vierten Geburtstag feierte. Bald darauf schmiedeten wir Zukunftspläne, sie beinhalteten auch eine Hochzeit, doch vorerst sollte niemand eingeweiht werden. Auch legten wir fest, dass sie ihren Job und ihre Wohnung aufgibt und nach der Heirat zu mir ziehen wird.

Sechs Monate nach unserem unvergesslichen Wochenende in Wien machte ich meiner Freundin bei einem romantischen Spaziergang im Wald den Heiratsantrag. Danach verrieten wir unseren Freunden und Familien unsere Heiratsabsichten.

Trotz der großen Entfernung und Dank des Nachtzugs trafen wir uns mindestens alle zwei Wochen. Eine längere Zeit würden wir nicht aushalten. Unsere Hochzeit in ihrem Wohnort verlief traumhaft, fast das ganze Dorf erschien zum Gratulieren.

Drei Monate nach der Hochzeit siedelte Birgit nach Vorarlberg, das getrennte Leben bis dahin fiel uns als Eheleute besonders schwer. Vor dem anstrengenden Umzug holten wir unsere Flitterwochen nach, da sich nach der Trauung nur ein Wochenende in einem Thermenhotel ausging. Wir flogen für zwei Wochen nach Kreta.

Für unser Kennenlernen und den Aufbau der Partnerschaft war uns wichtig, dass wir uns gleich am Anfang für ein verlängertes Wochenende verabredet haben, danach lief alles sehr schnell und ein Zahnrädchen fügte sich ins andere. Auch war hilfreich, dass wir beide mit dem christlichen Glauben etwas anzufangen wussten, zumal Birgit auch in der Kirche arbeitet. Besonders empfehlenswert war zudem der Ehe-Vorbereitungskurs in Form eines Partnerschafts-Lernprogramms im Rahmen eines Wochenend-Seminars.

Neben Liebe und Treue – was ohnehin jeder voraussetzt - erachten wir vor allem die Achtung und Wertschätzung für den anderen als Rezept für eine vollendete Beziehung. Auch die tägliche Kommunikation ist ein wesentliches Element des Zusammenlebens. Wir nehmen uns Zeit dafür. Wer den anderen annimmt, wie er ist, und ihn nicht zu verändern versucht, erreicht sehr viel.

Dietmar und Birgit Dellanoi
(Controller und Pastoralassistentin)
aus 6973 Höchst / Österreich

Das cpd-Team im Jubiläumsjahr 2010

Walter & Iris Nitsche
Vermittlung, Vorträge und Seminare

Victoria Becht
Assistentin der Geschäftsleitung

Bärbel Becht
Vermittlung

Gudrun Augenstein
Vermittlung

Anna-Maria Ziegler
Vermittlung

Sebastian Lindauer
EDV-Administrator

Ulrike Becht
Buchhaltung

Judith Berger
Interessenten-Infos, Schweiz

Maria Wachter
Interessenten-Infos, Österreich

Jürg Wolf
Interessenten-Infos, Schweiz

Weitere Bücher aus dem Verlag
edition φ philemon

Lieben will gelernt sein
Walter Nitsche

Pb, 156 Seiten,
6,90 Euro/ 12,90 CHF
Bestell-Nr. 648 301

Liebe ist so viel mehr als Gefühl...

Echte Liebe kann und muss gelernt werden!
Hier erfährt der Leser alles, was man dazu wissen muss:

- Was ist Liebe überhaupt?
- Bin ich liebesfähig? - Wie lernt man praktisch „lieben"?
- Wie pflegt man die Liebe, damit sie wächst und nicht erkaltet?

Ob zur Ehevorbereitung, zur Gestaltung oder Verbesserung einer Freundschafts-Beziehung: Hier bekommt der Leser praktische Hilfe - anschaulich verpackt.

Dieses Buch wendet sich sowohl an alleinstehende oder befreundete Singles, als auch an Verheiratete, Verwitwete oder solche, die bereits eine zerbrochene Beziehung hinter sich haben.

„Lieben will gelernt sein" deutet nämlich auf ein tiefgehendes Prinzip hin, das sämtliche zwischenmenschliche Beziehungen unseres Lebens durchzieht, denn: „lieben heißt. die wahren Bedürfnisse des anderen erforschen und zu stillen suchen".

ISBN-Nr. 3-935368-01-1

Partnersuche und Partnerwahl unter Gottes Führung
Walter Nitsche (Hrsg.)

Pb, 160 Seiten,
6,90 Euro/ 12,90 CHF
Bestell-Nr. 648 368

In diesem umfangreichen Ratgeber gehen kompetente Autoren auf Fragen ein wie

- wie kann ich Gottes Führung bei der Partnersuche erleben?
- wie erfahre ich Gottes Willen bei der Partnerwahl?
- kann es sein, dass ich zum Single-Dasein berufen bin?
- wer passt zu wem?
- wie kann ich wissen, ob es wirklich Liebe ist, was ich empfinde?
- welche bedeutsame Stufen beim Kennenlernen sollte man beachten?
- wie gehe ich mit Verliebtheitsgefühlen um?
- welche Typus-Konstellationen sollten nicht heiraten?
- was können die Ursachen für zerbrochene Beziehungen sein?
- welche persönlichen Vorraussetzungen sollte ich mitbringen, damit Beziehung gelingt?

... und noch viele weitere Themen zur Vorbereitung auf eine der wichtigsten Entscheidungen im Leben.

ISBN-Nr. 3-935368-08-9

Diese Bücher erhalten Sie in Ihrer christlichen Buchhandlung oder direkt beim Verlag edition φ philemon.